古典·哲学时代

墨子研究

陈柱 / 著　　马东峰 / 主编

北京理工大学出版社

《古典·哲学时代》编委会

主　　编：马东峰
执行主编：李艳洁
编　　委：王钦刚　华　亮　王　洁
　　　　　周大力　河红联　刘立苹
　　　　　王晶瑾　马　达

墨学十论序

余自乙丑春，为孙仲容先生定本《墨子间诂》作《补正》。丙寅春，遂为无锡国学馆诸生讲《墨子》。以定本《间诂》为课本，辅以《补正》，择要讲论焉。秋，上海大夏大学复以讲《墨子》见委，余亦既授之如前法矣。复惧两校生徒，徒沉溺于章句，而不能通其条贯，明其得失也。故再为之分题讲论，凡共十篇，名曰《墨学十论》。既毕业，乃为之序其首曰：乌虖！淮南王其知之矣。其《泰族篇》曰："神农之初作琴也，以归神。及其淫也，反其天心。王念孙云："此文本作神农之初作琴也，以归神杜淫，反其天心。及其衰也，流而不反，淫而好色，至于亡国。"柱按：王说改字太多，今不从。夔之初作乐也，皆合六律，以通八风。及其衰也，以沉湎淫康，至于灭亡。苍颉之初作书也，以辩治百官，领理万民。及其衰也，为奸刻伪书，以解有罪，以杀不辜。汤之初作囿也，以奉宗庙鲜犒之具，简士卒习射御，以戒不虞。及其衰也，驰骋猎射，以夺民时，以罢民力。"节录原文。原作"罢民之力"，今从王念孙校正。

然则由淮南之说观之，天下事殆未有为之而无流弊者矣。然此皆顺人之性，因时之宜而为之者，其流弊犹不能免。况乎意有所矫，词有所激者，又乌能无弊乎？诸子之学，皆意有所矫，词有所激者也。孔子曰："周监于二代，郁郁乎文哉！"盖自有文周之礼乐，其末也繁文褥礼，奸诈巧饰之弊生。孔子则欲顺而导之，教之于正者也，故曰："文王既没，文不在兹乎？"又曰："吾从周。"老子则不然，欲矫其弊而去之者也，故曰："大道废，有仁义；智慧出，有诈伪。"又曰："服文绨，带利剑，厌饮食，财货有余，是谓盗竽。"其词盖稍激矣。然犹不能胜天子之文弊也。于是墨子上览儒者之弊，下承老子之激，作为《非儒》《非乐》《节葬》《尚同》以矫之。其立名益偏，词益激矣。然犹未能胜天下也。弊之又极，一激而为韩非，再激而为李斯。于是《非儒》之甚，激而为秦之焚书坑儒。《尚同》之甚，激而为秦之愚黔首，灭诸侯。然而《非乐》《节用》之甚，不能激使秦之去其阿房也。《节葬》之甚，不能激使秦之损其骊山也。《非攻》之甚，不能激使秦之去其侵略也。《兼爱》之甚，而不能激使秦之减其杀戮也。何也？凡矫枉者必过于正；过正之甚，势不至于折不止。诸子者，皆矫枉之过于正者也。矫之过正，则不免流于激，而不知其弊即已伏于所矫所激之中矣。何也？人情莫不易于责人，而难于责己。矫之激之之甚,则求诸己者未行,而责于人者已先为天下祸矣。此墨子之《非儒》《尚同》所以能收效于秦,而《非乐》《非攻》《兼爱》《节用》《节葬》之说,所以无救于秦与六国也。秦既灭六国,于是乎周末文弊之害除,而儒墨亦同归于尽矣。此矫枉过正而至于折之效也。然未几而秦亦与之俱亡。至汉而儒术复盛,百家既衰,而随时抑扬,违离道本,以哗世取宠之惑儒,又充满天下矣。吾独且奈何哉!此今之学者,所以提倡墨学,盖欲以矫之之意与?然吾愿其勿为之太甚,勿过于正而流于激也。故今之所论,绝不敢有溢美溢恶之言。是则区区防弊之微意,愿与学者共勉之者也。有心观世变者幸毋忽诸!

十有五年十一月
北流陈柱柱尊序于上海大夏大学

凡 例

一：本书依俞樾《群经平议》例，《墨子》正文高一格写。

一：本书略仿《群经平议》例，凡订正旧注或疏明之者，时节录旧注原文于前，然后列案语于后。

一：凡所补正，均加"柱按"二字，以别于旧注。

一：旧注所引姓名，除首次外，余皆省称姓，有同姓者不省。依原例也。补正所引，则概称姓名以省记忆。

一：本书卷数，悉依孙氏《间诂》。惟卷十《经》与《经说》，卷帙繁多，则仿段玉裁《说文注》于第十一篇上分为一二之例，于《经》上及《经说》上为十之上，《经》下及《经说》下为十之下。

一：《间诂经篇》止以旁行之文附于篇末，篇中章句一仍旧观，未易研诵，其失已于序文言之矣。兹特依旁行为注，既复《墨经》之旧，且便学者之观。

一：《间诂》经与说分，未便观览。兹特移说就经，以便学者。变乱之罪，所不敢辞。然移传就经，古来正多其例。

一：《经》上下、《经说》上下、《大取》《小取》，自苦其难读，本书解释特详，几于无句不释，阅者无讥其冗焉。

一：自《备城门》以下，诸篇多言守城之事。事关器具，尤难训诂。惟桐城吴汝纶、湘潭王闿运、常宁尹桐阳多所阐发，最足以匡孙氏之不逮，故本书采录尤多。

一：本书于诸家之说，凡足以为参考之资者，均多采入。时或特加辩正，其不加辩正者，亦未必即以为是。惟学者慎思焉。至于所录诸本文字异同亦然。

一：《间诂》所引自经子诸部，以王念孙《墨子杂志》、张惠言《墨子经说解》、苏时学《墨子刊误》等均据原书细校；其余如《群书治要》《北堂书钞》之类，凡孙氏所漏，亦力为搜捕。

一：校补《间诂》，余与瑞安李笠实不谋而合。李书刊布较早，余书写录始于十四年春而李书刊布在十四年二月。本书亦略为补采。其以嘉靖本较墨子及以聚珍本《间诂》较定本，均与余同；然或有为柱所漏略，而于李书得之者，亦必书明李说，以明不敢攘美。

一：《墨子间诂》，有初印聚珍本，有木版定本，有商务印书馆景定聚珍本与定本，其内容之不同，孙氏已自言之矣。即其文字，亦时有或异。大抵定本讹脱比聚珍本为多。至于景印本,又比定本加误。如《七患篇》"此皆具不备之罪也","具"字以形似,讹作"其"。由此观之,凡景本书籍,亦有不可尽信者矣。本书以定本为主,既以聚珍本正定本,然其聚珍本及景本有误者,亦兼订正。

目 录

墨学十论序…………………………………… 1
凡例……………………………………………… 4

墨子之大略…………………………………… 1
墨学之大略…………………………………… 15
墨子之经学（一名墨子之六艺学）……… 32
《墨经》之体例……………………………… 84
墨子之教育主旨……………………………… 91
墨子之政治学说……………………………… 101
墨子之文学…………………………………… 117
墨子与诸子之异同…………………………… 146
诸子墨论述评………………………………… 169
历代墨学述评………………………………… 186

墨子之大略

《太史公书》不为墨子立传，只于《孟荀列传》之末，附之曰："盖墨翟，宋之大夫，善守御，为节用。或曰并孔子时，或曰在其后。"寥寥二十四字而已。以学术上如此重要之一人，而所述乃仅如此而已，故近世学者深为失望。或讥史公之疏略无识，或以为《史记》之脱简。余以为后说是也。此二十四字，接上文云云，实未免太过唐突。无论如何之古文法，决不如是。尝忆《史记·老子韩非列传》有云：

> 老子乃著书上下篇，言道德之意，五千余言而去，莫知其所终。或曰：老莱子亦楚人也，著书十五篇，言道家之用，与孔子同时云。盖老子百有六十余岁，或言二百余岁，以其修道而养寿也。自孔子死后百二十九年，而史记周太史儋见秦献公，曰："始秦与周合，合而离，离五百岁而复合，合七十岁而霸王者出焉。"或曰儋即老子，或曰非也。

世莫知其然否。老子隐君子也。

此段文字之"或"字、"盖"字,其用法正与《孟荀列传》相同。此等"盖"字、"或"字,均与上文有关接,而《孟荀传》末此二十四字,独绝无所承。以文法例之,知其脱简无疑也。

自来皆以墨子姓墨名翟,孙诒让《墨子传略》亦云:"墨子名翟,姓墨氏。"近人治墨学者梁启超、胡适之徒,亦均无异议。惟廉江江瑔著《读子卮言》论墨子非姓墨,其言甚辨。

古以孔墨、杨墨并称。自汉以后,皆以墨子姓墨名翟,数千载无异词。窃则以为不然。盖墨子者,非以墨为姓者也,今请详其说以明之。古者诸子派别,共分九流,墨子居其一。凡传某学者皆曰某家,故传墨子之学者亦曰墨家。然所谓家者,言学派之授受,非一姓之子孙。故周秦以前,凡言某家之学,不能系之以姓。至汉代学者始以某姓为某家,故《汉志》谓《易》有施、孟、梁丘三家,《春秋》有公、穀、左、邹、夹五家之类。古人皆无之也。凡古人系姓而称,必曰某子,或曰某氏,而称家则不能系姓。若墨既为姓,而复称曰墨家,则孔子可称孔家,庄子可称庄家乎?此不合于古人称谓之例,其证一也。九家之名,详于《汉志》,《汉志》本于刘《略》。刘氏亦必有所本,而司马谈亦有《六家要旨》之论,则其名由来旧矣。然所谓九家者,墨家而外,若儒,若道,若名,若法,若阴阳,若纵横,若杂,若农,莫不各举其学术之宗旨,以名其家,闻其名即知其为何学,即九家外之小说家亦然,并无以姓称者。若墨为姓,是以姓称其学。何独异于诸家乎?此不合于九家称名之例,其证二也。墨子之学,出于史佚、史角。史角无书,史佚书有二篇。《汉志》列于墨家之首,且谓尹佚为周臣,在成康时。则由史佚历数百岁而后至墨子,未有墨子之前,已有墨家之学。墨子生于古人之后,乃讳其渊源所从出,以己之姓而名其学,为诸家之所无。此不合学派相传之理,其证三也。周秦时之姓氏,复杂奇辟,往往非后世所经见;然考以世本诸书,亦各有所自来。墨之为姓,墨子一人外,更无所见。唯古有墨胎氏为孤竹国君,伯夷、叔齐即其后。然夷齐后即无闻,断非墨子之所自出。且墨子之前后,亦绝无墨姓其人。此其证四也。又《汉志》所录墨家者流仅有六家,末为墨子,首即史佚。此外四人,曰我子,口随巢了,皆不著姓?曰田俅子,曰胡非子，疑亦非姓。与他家之黔娄子、将巨子，诸人之称同。班《注》于此四人，亦不详其姓名。颜师古亦不及之。当必皆为姓名外之别号，自无可疑。墨家诸人无一称姓，则墨子之墨断非姓明矣。窃疑墨家之学，内则薄葬，外则兼爱，无亲疏之分，无人我之辨，示大同于天下，与《礼运》所谓"不独亲其亲，不独子其子"之义同。以宗族姓氏，为畛域之所由生，故去姓而称号，以充其兼爱上同之量，又与释氏之法同，此孟子所以斥为无父。此亦墨氏之学，所以独异于诸家，而高于千古也。自注：墨氏兼爱只不别亲疏，非不爱父，即亲中亦不只父一人。孟子独斥为无父者，盖以因其兼爱而并革其之姓氏，而忘己所从出也。惜此理千古无人道及。《孟子》一书所载当世之人，皆详其姓氏；而于墨者夷之，只冠以墨者二字，而不言其何姓。《论衡·福虚篇》言墨家之徒缠子，缠亦非姓。是皆可为墨家不称姓之证，此其证五也。《墨子》原书，多称子墨子。夫称曰子者，皆为尊美之词，不系于别号，即系于姓。然皆称曰某子，断无以子加于姓之上者。若子思子之类，上子思二字合为孔伋之字，下子字乃尊称之词耳。唐宋以后，去古日远，名称亦漓，始有以子字加于姓字之上。秦汉以前则绝无之。自注：惟《荀子》书引宋钘语或称宋子，显为后人所乱。《列子》书亦称子列子，然见于《庄子》者俱无之。今称曰子墨子，适与子思子之称同。若云墨为姓，则孔子亦可称子孔子，庄子亦可称子庄子乎？此其证六也。孟子多拒墨之词，其称之也，或曰墨子，或曰墨氏，或单称之曰墨。韩非子《显学篇》亦曰："有相里氏之墨，有相夫氏之墨，有邓陵氏之墨。"皆单以墨称。然人有姓亦有名，姓所同而名所独。故古者称人，必举其名；宁去姓而称名，无去名而称姓。是以古籍所载，有单称名而不知姓者，而断无单称姓而不著名之理。今孟、韩皆称曰墨，则墨岂得为姓乎？况韩子所谓相里氏之墨云云，若墨为姓，尤不能作是称。韩子此篇，上文云"子张氏之儒"云云，下文则曰"儒分为八，墨分为三，取舍相反不同，而皆自谓真孔墨"。下曰孔，而上曰儒，盖言孔子一人可称孔，言孔子之学不可称孔也。以相里氏之墨例之，则何不云子张氏之孔，而云子张氏之儒乎？此其证七也。凡为墨子之学，可称曰墨者，如孟子所谓墨者夷之，《庄子》《韩非子》《史记自序》，亦皆有墨者之称。然墨者之义，指学墨子之人言之。学墨子之人非必姓墨，何以系其师之姓？孔子之门弟子三千，未闻称曰孔者也。墨家之墨者，当与儒家之称儒者同。此其证八也。删节原文。

此其说诚可谓至辨矣。然古人称谓，殊不能一律。孔子姓孔号孔子，庄子姓庄号庄子，若以此例之，老子亦当姓老邪？不然，则以老子例之，孔子、庄子又当非姓孔姓庄邪？汉初有三家诗，一曰鲁诗，二曰齐诗，三曰韩诗。若以鲁齐例之，则韩亦当为国名邪？以韩例之，鲁齐又当为姓邪？此可以见古人之称谓，不能尽以例求也。惟江氏以墨子之墨为道术之称，似颇相合。其言云：

> 考墨字从黑，为会意兼形声字，故古人即训墨为黑。自注：《广雅·释器》：墨，黑也。《孟子》云，面深墨。又训晦，《释名·释书契》：墨，晦也。引伸之为瘠墨，为绳墨。自注：《荀子》书屡言瘠墨。是则所谓墨者，盖垢面囚首、面首黎黑之义也。《庄子·天下篇》云："墨子称道禹行曰：不能如此，非禹之道也，不足为墨。"又称："禹亲自操囊，而九杂天下之川，腓无胈，胫无毛，沐甚风，栉甚雨。"《列子》称："禹身体偏枯，手足胼胝。"吕不韦称："禹忧其黔首，颜色黎黑，窍藏不通，步不相过。"是禹之为人，尽俭苦之极轨，故墨子学之。故孟子称为摩顶放踵；庄子称为其道大觳；后世亦言墨突不得黔：此其学适合于墨字之义，故以墨名其家，而人亦咸以墨子称之。考墨书《贵义篇》云："子墨子北之齐，遇日者。日者曰：帝以

今日杀黑龙于北方，而先生之色黑，不可以北。"凡人形容枯槁者，其颜色必黑，兹所谓色黑者，盖因劳苦过甚，颜色因而黎黑，亦庄子所谓枯槁也。其以墨为宗旨，与儒、道、名、法、阴阳、纵横、杂、农诸家同，故与八家并列而称曰墨家。

然则古来称墨翟，所谓翟者何也？江氏亦为之说曰：

> 自秦汉以来，咸以翟为墨子名。然古以墨翟连称，彼以墨为姓，斯以翟为名，亦为以意揣测之词，未必于古有所据。窃疑翟为墨子之姓。考古有翟国，在宋郑之北。其子孙以国为氏，故春秋以后有翟姓。疑墨子即其后。翟国与宋相近，故墨子亦为宋人。又考孔德璋《北山移文》，称墨子为翟子，似亦以翟为姓。而《琅嬛记》载墨子则直云姓翟名乌。古人名字纷歧，事所常有。若姓氏则为一定，不可或更。况以昭著千古之墨子，岂敢窜易其姓氏哉？惟所得证据仅此，此外则更无所见。是翟果为姓与否，亦未敢遽决之。然古书称墨翟，以其学加于姓或名之上者，此在古人亦常有之，如老彭、蒙庄、谈天衍、雕龙奭是也。

斯以翟为姓，则大谬不然。江氏前既云墨子去姓去氏，示大同于天下，故为墨家学者咸不称姓。今又云翟为墨子姓，墨子不敢窜易姓氏，何其前后矛盾至此？至谓《北山移文》称墨子为翟子，遂疑孔德璋以墨子为姓翟；然则下文称杨子为朱公，则亦可谓孔德璋以杨朱非姓杨而为姓朱邪？且《墨子·贵义篇》载墨子之言云："翟闻之，同归之物，信有误者。"《鲁问篇》亦自称曰："翟之未得见之时也，子欲得宋，自翟之得见之后，予子宋而不义，子弗为；是我予子宋也。子务为义，翟又将与子天下。"夫墨子自称曰翟，则翟显为墨子之名可知。若云是姓，则孔子自称丘也幸，亦可作孔也幸；丘之祷久矣，亦可作孔之祷久矣。有是理邪？吾以谓墨是其道，翟是其名；去姓著道，以著其尚同；久之，则人遂以墨为姓，故称墨子。其称子墨子云者，犹子列子、子禽子一例，犹云此子乃墨子、此子乃庄子、此子乃禽子云尔，岂能遂斥为不通邪？又《公羊传》有子沈子、子公羊子之称，何休《解诂》云："沈子称子冠氏上者，著其为师也。"则著子字于姓字上，其来亦古矣，不可谓唐以后始有此称也。

然则墨子何国人邪？有据古有翟国，宋与翟近，及《史记》有"盖墨翟，宋之大夫"一语，遂疑为宋人者；有据墨子与鲁阳文君之关系，鲁阳为楚邑，遂疑墨子为楚人者；有据公输般将以楚攻宋，墨子起自鲁，遂疑为鲁人者。梁启超颇主鲁人之说，以谓墨子若宋人，则《公输篇》不应有"归而过宋"一语；若为楚人，《贵义篇》不应有"南游于楚"之语云云。其说颇为得实。至于墨子仕宋之说，梁氏亦非之，以谓《墨子》书中绝无仕宋痕迹，且引《贵义篇》"道不行不受其赏，义不听不处其朝"之说，以谓宋必不能行其道，故当必不肯仕宋。其说尤为近是。盖墨子乃古来之大实行家，其言行必不相背也。夫未尝仕宋，以平民而救宋；本非宋人，以异国之人而救宋国；不分人之禄，而苦身以救人；不私利其国，而兼爱人国。此墨子之所以为墨子与？若其生卒时代，则汪中、孙诒让言之颇详。汪氏之言云：

> 今按《耕柱》《鲁问》二篇，墨子于鲁阳文子多所陈说。《楚语》："惠王以梁与鲁阳文子。"韦昭注：文子，平王之孙，司马子期之子。其言实出《世本》。故《贵义篇》："墨子南游于楚，见献惠王，献惠王以老辞。"献惠王之为惠王，犹顷襄王之为襄王。由是言之，墨子实与楚惠王同时，其仕宋当顷公昭公之世，其年于孔子差后，或犹及见孔子矣。《艺文志》以为在孔子后者，是也。《非攻·中篇》言"智伯以好战亡"，事在春秋后二十七年；又言蔡亡，则为楚

惠王四十二年。墨子并当时及见其事。《非攻·下篇》言"今天下好战之国，齐晋楚越"，又言"唐叔、吕尚邦齐晋，今与楚越四分天下"。《节葬·下篇》言"诸侯力征，南有楚越之王，北有齐晋之君"，明在句践称伯之后，秦献公未得志之前，全晋之时，三家未分，齐未为陈氏也。《檀弓·下》："季康子之母死，公输般请以机封。"此事不得其年，季康子之卒在哀公二十七年，楚惠王以哀公七年即位，般固逮事惠王。《公输篇》："楚人与越人舟战于江，公输子自鲁南游楚，作钩强以备越。"亦吴亡后，楚与越为邻国事。惠王在位五十七年，本书既载其以老辞墨子，则墨子亦寿考人与？

而孙诒让则云：

> 史迁云："墨翟或曰并孔子时，或曰在其后。"自注：《史记·孟荀传》。刘向云："在七十子之后。"《史记索隐》引别条。班固云："在孔子后。"《汉书·艺文志》概本刘歆《七略》。张衡云："当子思时。"《后汉书》本传注引衡集《论图纬虚妄疏》云：公输般与墨翟并当子思时，出仲尼后。众说舛忤，无可质定。近代治墨子书者，毕沅以为六国时人，至周末犹存，既失之太后；汪中沿宋鲍

彪之说，鲍说见《战国策·宋策》注。谓仕宋当景公世，又失之太前，宋景公卒于鲁哀公二十六年，见《左传》。《史记·六国年表》书景公卒于贞王十八年，即鲁悼公十七年，遂减昭公之年，以益景公，与左氏不合，不可从也。据本书及《新序》，墨子尝见田齐太公和，有问答语。田和元年上距宋景公卒年，凡八十三年，即令墨子之仕，适当景公卒年，午才弱冠，亦必逾百岁前后方能相及，其可信乎？殆皆不考之过。窃以今五十三篇之书推校之，墨子前及与公输般、鲁阳文子相问答；见《贵义》《鲁问》《公输》诸篇。而后及见太公和见《鲁问篇》。田和为诸侯，在安王十六年。与齐康公兴乐，见《非乐上篇》。康公卒于安王二十三年。楚吴起之死，见《亲士篇》，在安王二十一年。上距孔子之卒，敬王四十一年。几及百年。则墨子之后孔子，盖信。审核前后，约略计之，墨子当与子思并时而生，年尚在其后。子思生于鲁哀公二年，周敬王二十七年也。下及事鲁穆公，年已八十余，不能至安王也。《史记·孔子世家》谓子思年止六十二，则不得及穆公。近代谱牒书或谓子思年百余岁者，并不足据。当生于周定王之初年，而卒于安王之季，盖八九十岁，亦寿考矣。

汪、孙二说，先后不同。近人胡适深是汪氏之言，而梁启超颇韪孙氏之说。胡氏云：

墨子大概生周敬王二十年与三十年之间，自注：西历纪元前五〇〇年至前四九〇年。死在周威烈王元年与十年之间。西历纪元前五五一年。到吴起死时，墨子已死差不多四十年。

而梁氏则云：

孙氏作墨子年表，大段不谬。但其据《亲士篇》言吴起之死，则谓墨子至安王二十一年自注：西纪前二八一。犹存，此亦不确。胡适决其不及见吴起之死，谅矣。然胡氏谓墨子生年约当孔子卒前二年，其卒年约在吴起卒前四十年，则又失之太前。以吾所考证如下：

墨子生于周定王初年，自注：元年至十年之间，西纪前四六八至前四五九。约当孔子卒后十余年。孔子卒于前四七九。

墨子卒于周安王中叶，十二年至二十年之间，西纪前三九〇至前三八二。约当孟子生前十余年。孟子生于前三七二。

今案梁氏以墨子所曾交接之人为根据，而参伍其年代，似比胡氏为确。然梁氏以孙氏谓墨子至安王二十一年犹存之说为不确,而定为十二年至二十年间,则所差止一年耳。盖深信胡氏据《吕氏春秋》谓墨子决不及见吴起之死之说,而为之订正也。《吕氏春秋·上德篇》云:

> 墨者巨子孟胜,善荆之阳城君。阳城君令守于国,毁璜以为符,约曰:"符合听之。"荆王薨,群臣攻吴起兵于丧所,阳城君与焉。荆罪之,阳城君走,荆收其国。孟胜曰:"受人之国,与之有符;今不见符,而力不能禁,不能死,不可。"其弟子徐弱谏孟胜曰:"死而有益阳城君,死之可矣;无益也,而绝墨者于世。"孟胜曰:"不然,吾于阳城君也,非师则友也,非友则臣也;不死,自今以来,求严师必不于墨者矣,求贤友必不于墨者矣,求良臣必不于墨者矣。死之,所以行墨者之义而继其业者也。我将属巨子于田襄子。田襄子,贤者也。何患墨者之绝世也。"柱按:陈澧云墨氏所谓巨子,犹沙门传衣者也。《吕氏春秋·去私篇》又有墨者巨子腹䵍,高诱注皆云巨姓,毕氏已驳正之。

胡氏据此以谓吴起死时,墨子久已成一种之宗教,墨者巨子传授之法已有定制,墨子已有新立之领袖。孟胜弟子劝胜不死,而曰"绝墨者于世,不可",倘墨子尚未死，安能为此说。其说甚为有见。而孙氏以为墨子可及吴起之死，则除据《亲士篇》以外，更无可为据者。其说云：

>　　案《鲁问篇》：墨子及见田齐太公和。和受命为诸侯，当楚悼王十六年，距起之死仅五年耳。况《非乐·上篇》说"齐康公兴乐万"，康公之薨，复在起死后二年。然则此书虽多后人增益，而吴起之死非墨子所不及见，明矣。

孙氏此说，固可以驳正苏时学、汪中、胡适诸人，谓墨子之卒年过于太前之说，然而不可以证墨子必可以见吴起之死。盖太公和之受命为诸侯，当楚悼王十六年，距起之死五年。安知墨子不在此五年之前而死？康公之薨，后起二年，墨子虽说康公兴乐万，然焉知其事不在起死前之一岁？故梁氏据胡说以订正孙说，则孙说乃可以无憾矣。

墨学之大略

墨子之书，篇数多寡，古今已有不同。毕沅云：

墨子七十篇，见《汉书·艺文志》。隋以来为十五卷，目一卷，见《隋书·经籍志》。宋亡九篇，为六十一篇，见《中兴馆阁书目》。实六十三篇。后又亡十篇，为五十三篇，即今本也。本存《道藏》中，缺宋讳字，知即宋本。

今将今本十五卷目录列后：

一	亲士	修身	所染	法仪	七患	辞过	三辩
二	尚贤上	尚贤中	尚贤下
三	尚同上	尚同中	尚同下
四	兼爱上	兼爱中	兼爱下
五	非攻上	非攻中	非攻下
六	节用上	节用中	节葬下

七	天志上	天志中	天志下	
八	明鬼下	非乐上		
九	非命上	非命中	非命下	非儒下
十	经上	经下	经说上	经说下
十一	大取	小取	耕柱	
十二	贵义	公孟		
十三	鲁问	公输		
十四	备城门 备高临 备梯 备水 备突 备穴 备蛾傅			
十五	迎敌祠	旗帜	号令	杂守

此十五卷，胡适于《哲学史大纲》卷上分为五组。其言云：

第一组，自《亲士》至《三辩》，凡七篇，皆后人假造。前三篇全无墨家口气，后四篇乃根据墨家之余论而作者。

第二组，《尚贤》三篇，《尚同》三篇，《兼爱》三篇，《非攻》三篇，《节用》两篇，《节葬》一篇，《天志》三篇，《明鬼》一篇，《非乐》一篇，《非命》三篇，《非儒》一篇，凡二十四篇，大抵皆墨者演墨子之学说而作，其中有许多后人所加入。《非乐》

《非儒》两篇，更可疑。

第三组，《经》上下，《经说》上下，《大取》《小取》，既非墨子之书，亦非墨者记墨子学说之书，殆即庄子《天下篇》所谓别墨所为。此六篇之学问，决不是墨子时代所能发生。况其中所言与惠施、公孙龙最为接近，惠施，公孙龙之学说几全在此六篇内。故我以为此六篇乃惠施、公孙龙时代之别墨所作。

第四组，《耕柱》《贵义》《公孟》《鲁问》《公输》，此五篇乃后人将墨子一生言行辑聚而成，与儒家之《论语》相同。其中许多材料，比第二组更为重要。

第五组，自《备城门》以下至《杂守》，凡十一篇，所记墨家守城备敌之法。

梁启超因其方法，而于所著《墨子学案》为之分类如下：

第一类卷一	甲	亲士 修身 所染	此三篇非墨家言，纯出伪托。
	乙	法仪 七患 辞过 三辩	此四篇，是墨家记墨学之概要，甚能提纲挈领，当先读。

第二类 {
 (卷二) 尚贤上中下
 (卷三) 尚同上中下
 (卷四) 兼爱上中下
 (卷五) 非攻上中下
 (卷六) { 节用上中 / 节葬下
 (卷七) 天志上中下
 (卷八) { 明鬼下 / 非乐上
 (卷九) { 非命上中下 / 非儒下
}

此十题,二十三篇,是墨学大纲目,墨子书之中坚。篇中皆有子墨子字,可以证明是门弟子所记,非墨子自著。每题各有三篇,文义大同小异。盖墨分为三派,各记所闻。

此篇无"子墨子曰";不是记墨子之言。

第三类 {
 (卷十) { 经上下 / 经说上下
 (卷十一) { 大取 / 小取
}

此六篇,鲁胜名为《墨辩》。大半是讲论理学。《经》上下当时墨子自著。《经说》上下当是述墨子口说;但有后学增补。《大取》《小取》是后学所著。

第四类 {
 (卷十一) 耕柱
 (卷十二) { 贵义 / 公孟
 (卷十三) { 鲁问 / 公输
}

此五篇,是记墨子言论行事,体裁颇近《论语》。

梁胡所分，大同小异，独于《经》上下、《经说》上下、《大取》《小取》六篇，一以为墨子所自著，或弟子所记；一以为别墨所作，绝与墨子无关。斯为大异之点耳。其以《修身》《亲士》《当染》诸篇，为后人伪托，亦本孙诒让。孙氏《墨子间诂·自序》云：

《修身》《亲士》诸篇，谊正而文靡，校之他篇殊不类；《当染篇》又颇涉晚周事，非墨子所得闻；疑皆后人以儒言缘饰之，非其本书也。

其说《亲士》《修身》二篇，为伪托，与毕沅适相反。毕云：

《亲士篇》与《修身篇》无称"子墨子云",疑翟所自著也。

以余论之,两说所据之理,均似未能充足。毕氏以无"子墨子云",便谓为墨子之自著,则《墨子》书中,如此等普通之言论,反为墨子之自著;而他篇如《尚同》《兼爱》《非攻》等重要主义,反无墨子之文;未免不近情理。至孙、梁、胡以辞旨近儒,又疑为伪托,夫亲士修身,诸子之言治者多不能外;墨子之偶同儒家,何足为异?且诸氏谓辞旨不近墨子,自吾观之,其足以表墨学特别之精神者正甚众。如《亲士篇》云:

> 吾闻之曰:"非无安居也,我无安心也;非无足财也,我无足心也。"是故君子自难而易彼,众人自易而难彼。君子进不败其志,内究其情。虽杂庸民,终无怨心,彼有以自信者也。

此文毕沅解之云:

> "非无安居也,我无安心也;非无足财也,我无足心也。"言不肯苟安,如好利之不知足。"君子自难而易彼。"言自处于难,即躬自厚而薄责于人之义。

"虽杂庸民，终无怨心。"言遗佚不怨。

夫以毕氏所释，则宜乎其近儒也。然以余观之："非无安居也，我无安心也；非无足财也，我无足心也。"谓我非无安居，但为天下有不安之故，吾心亦不安，故我亦无安居也；我非无足财，但为天下有不足之故，吾心亦不足，故我亦无足财也。此荀子所谓："墨子之言昭昭然为天下忧不足也"。"君子自难而易彼，众人自易而难彼。"谓君子以艰难自任，而以安乐与人。"虽杂庸民，终无怨心，彼有以自信者也。""信""伸"古今字，谓虽处平民之位，亦无怨心。何也？在社会努力，经能自伸，不必为官也。然则此正墨突不黔之义。其表示墨学之精神为何如也？又如《修身篇》云：

> 藏于心者无以竭爱，动于身者无以竭恭，出于口者无以竭驯。畅之四支，接之肌肤，华发隳颠，而犹弗舍者，其惟圣人乎？

此文"驯"字，注者均多作雅驯解。窃以"驯""训"古通。无以竭者惟恐不能竭之谓。"藏于心者无以竭爱"，谓藏于心者惟恐无以竭其无穷之爱。"动于身者无以竭恭"，谓动于身者惟恐无以竭其无穷之敬。"出于口者无以竭驷",谓出于口者惟恐无以竭其无穷之教也。是以畅之四支,华发隳颠,行犹弗懈,此其大意也。然则其表示墨学之精神为何如乎?又云:

>   志不强者智不达,言不信者行不果,据财不能与人者不足与友。

此则墨学兼爱果毅之精神为何如邪?孰谓《亲士》《修身》二篇非墨家言,无墨家语气乎?然遂谓其尽出自墨子手,则又不尔也。盖墨子之说,而墨学者论述之也。至于《所染》一篇,颇有墨子后事,疑必墨子以后之述作。然此文亦见《吕氏春秋》,名为《当染篇》。《淮南·说林训》亦有"墨子见练丝而泣"之说,则墨子见染丝一事,当非虚构。而《吕氏春秋》为古代之类书,又必为吕氏录墨子之文,而非墨子书袭自吕氏,又可知也。吾意墨子本固有此等之言,或此等之文,而后之学者展转传述,各有增加。汪中云:墨子盖尝见染丝者而叹之,为墨之学者增成其说耳。正如《春秋》笔削于孔子,而左氏补孔子卒后事也。《法仪》《七患》《辞过》《三辩》诸篇亦大略如此。

自《尚贤上篇》至《非儒下篇》共二十三篇,梁氏谓此为墨子学大纲、墨书中坚。斯言固然。其谓每题各有三篇，文义大同小异，即"墨分为三"之说，其言殆本于俞樾。俞氏《墨子间诂序》云：

> 墨子死而墨分为三：有相里氏之墨，有相夫氏之墨，有邓陵氏之墨。今观《尚贤》《尚同》《兼爱》《非攻》《节用》《节葬》《天志》《明鬼》《非乐》《非命》，皆分上中下三篇，字句小异，而大致无殊。意者此乃相里、相夫、邓陵三家相传之本不同，后人合以成书，故一篇而有三乎？墨氏弟子，网罗放失，参考异同，具有条理；较之儒分为八，至今遂无可考者，转似过之。

此其说实可谓似是而非。何也？墨子此等虽有三篇，然不过文字之大同小异而已，其旨固无大殊异者也。韩非所谓"儒分为八，墨离为三"，其异同之故，今虽不可得知；然今《诗》有四家，《春秋》有三《传》，其歧异当不至如儒之八、如墨之三也。然四家之《诗》，与三家之《春秋》，尚有绝殊相反之处。而今之《墨子》凡有三篇者，乃独无绝殊相反之语。何邪？则所谓墨离为三，与《墨子》书之上中下三篇绝无关系，可断言也。余意墨子随地演说，弟子各有纪录，言有时而详略，记有时而繁简，是以各有三篇。当时演说，或不止三次，所记亦不止三篇。然古人以三为成数，《论语》"其心三月不违仁"，《说文》"手之列多不过三"，是也。故编辑《墨子》书者，仅存三编，以备参考，其或以此乎。

《经》上下两篇当为墨子所自著。故诸篇不称经，而独此称经。若为别墨之书，入于《墨子》书内，墨子弟子不应仍以经称之。弃本师而崇外道，墨者之徒必不尔也。孟胜之死，而弟子患无巨子，则墨教之传，盖甚有统系，安有不经其师说，而妄经他人者乎？斯则梁氏之言，比胡氏为允，明矣。然胡氏之说，盖本于孙诒让；而梁氏之说，则略本于毕沅。毕于《经上篇》注云：

> 此盖翟自著，故号曰经。中亦无子墨子曰云云。

而孙氏则于《经篇》上注云：

> 以下四篇，皆名家言，又有算术及光学重学之说，精妙简奥，未易宣究；其坚白异同之辩，则与公孙龙书及庄子《天下篇》所述惠施之言相出入。庄子又云："相里勤之弟子，五侯之徒，南方之墨者苦获、已齿、邓陵子之属，俱诵《墨经》，而倍谲不同，相谓别墨；以《坚白》《异同》之辩相訾，以觭偶不仵之词相应。"庄子所言，即指此经。

盖孙氏亦以《经》及《经说》四篇为别墨之著作也。然既曰别墨，别墨之义暂用俗解，详末篇。是仍不离墨宗，又安知不原出于墨子？焉能谓其尽无墨子之著作乎？近有章士钊著《名墨訾应论》。其大略云：

墨、惠两家，凡所同论之事，其义莫不相反。且细绎两家之辞意，似惠子诸义先立，而墨家攻之。公输般九设攻城之机变，而墨子九拒之者。然以如此互相冰炭之两宗，并为一宗，谓此一是二，夫亦可谓不思之甚矣。

由右之说，惠施之不为正墨，盖无疑义。然则如鲁胜言以惠施为别墨何如？以墨子之说考之：设非在墨家垣墙之外，其于墨子之本旨，将不僻驰若是之远也。谓为别墨，亦无有是处。

虽然，名墨相对，其关系究有可言。惠施与墨家俱有事于名。特施为警者，而墨为非警，其中鸿沟甚大。

此则以《墨经》决非为惠施之徒所作，且施、龙辈亦不得为别墨也。然则章氏究以为何人所作乎？其言曰：

墨子自著之《辩经》久已亡绝。《辩经》中巍然自立之定义,使其层累成为一科,不合与人角智之性者,必较今存之六篇为多且详。以施、龙之出,后于墨子;墨子固不得如预言者流,知某时将有警者某某,求胜于彼而先设驳义若干条以为之备也。其后墨者传《经》,节节遇有名家者流,相与诘难,因释经以拒之;而后起诸问,《经》中焉能备载;其徒势不能不以各所崇信,诠解师说。诠解不同,而派别以起。今之六篇,殆墨子之弟子所撰述。惟其为相里勤、五侯之徒乎?抑南方之墨者,苦获、已齿、邓陵子之属乎?俱无可考。要之,此与其徒俱诵之《墨经》迥乎不同。而为其徒之一派,半述半创,以抗御名家之警者如施、龙辈焉。则愚所自信为千虑一得,无可置疑者也。

章说亦似持之有故,言之成理,然则姑就章说而论:今之《墨经》,虽尽非墨子自著之旧,而亦从墨子原著增损而来,故相沿而称为《经》。亦不得谓其与墨子无关,尽无墨子之文也。

名理之学,自孔子倡为正名之说,而战国诸子,皆大受影响。墨子尤为精详。自汉以后,斯学遂少。今欲略明古代绝学,则《经》及《经说》、大小《取》等六篇,为读《墨子》者最要之著作,斯固然矣。然吾以为《亲士》以下,《非命》以上,《耕柱》以下,《公输》以上,属于德者也;《经》及《经说》等六篇,属于知者也;《备城门》以下,属于术者也。知者,所以推行其德;术者,乃所以维持其德也。无其知,则道德之根本学说不能成立,何以推行?无其术,则我虽非攻而人将攻我,何以自存?故在墨学之中,斯三者实皆并重而无轻重之可分者。然而今人所研究,则独在于《经说》等为多,斯固学人好奇之性,亦以见今人之重知力而轻道德也。至论墨学之纲要,则友人胡韫玉之说颇为得之。其说云:

>墨子志在救世。世之相争斗也,其故有二。一则以物力不足供所求,于是以饮食之微,致有攘夺之事。一则国家界限太明,于是以细末之故,致有兵戈之举。墨子有见于此,一以节用救之,一以兼爱救之。其节用也,故非礼、非乐、短丧;其兼爱也,故尚同、法天。节用、兼爱,为墨子学说之中坚。余尝读《墨子》全书,而绎其义,确然知墨子志切救世,而有其术也。人生不能无欲,欲而不给于求也则争。儒家之制欲,以法禁已然,以礼防未然。墨子则务清其源。战争生于攘夺,攘夺生于不足,不足生于奢侈。使天下之人还醇返朴,即无不足之虞,亦即无战争之患。所以务为节俭。宫室衣

服饮食舟车,取足于用而止。不仅官室衣服饮食舟车已也,礼乐亦为具文,所以非礼乐而节葬。故曰"国家贫,则语之以节用、节葬;国家喜音沉湎,则语之以非乐、非命"。然而墨子之节俭,并非过于自苦,如庄子之言,但不为奢侈靡丽之观而已。其为官室也,高足以辟润泾,边足以围风寒,上足以待霜雪,墙足以别男女。其为衣服也,冬足以轻且暖,夏足以轻且清。其为饮食也,足以增气充虚、强体适腹。其为舟车也,足以任重致远。居处衣服饮食交通,皆为人生必要之具。故墨子皆取足适用。故不为峻宇雕墙,而亦不为穴居野处;不为锦绣靡曼,而亦不为衣皮带茭;不为食前方丈,而亦不为素食分处;不为文采刻镂,而亦不为不移不至。墨子之节用,岂可厚非哉?虽然,节用,果足以救世乎?墨子于物质上,既以节用救之;更于精神上,以兼爱救之。故曰:"圣人以治天下为事者也,不可不察乱之所自起。"乱何自起? 起不相爱。交相恶则交相责,交相责则战争之事起矣。交相爱则交相让,交相让则战争之事弭矣。战争起于交相责,弭于交相爱。兼爱者,天下之大利也。是以墨子倡之。故曰:"视人之国如其国,视人之家如其家,视人之身如其身。"又曰:"饥寒疾病死亡,人之事,皆我之事也。"

墨子曰以兼爱召天下，天下卒莫能从之。墨子以为由于不知尚同，于是更为尚同之说。人与人，家与家，邑与邑，相争相斗，群共非之。国与国相争相斗，无有非之者。知有小同，不知有大同也。辟如入人园圃，而窃其桃李，父不以为子，兄不以为弟，谓之曰贼人；入人之国，而窃其土地，父兄荣之，宗族宠之，谓之曰仁人。此不知尚同故也。尚同之本在于法天。天之于人，兼爱兼利，无所偏倚。故父母君师皆不足法，惟天乃足法。天者，万民之父母，同之极也。墨子学说之条贯如是。而其推行之方法：一主有鬼之论。以为鬼神能操赏罚之柄。人为善，鬼必赏之；人为恶，鬼必罚之。天下之乱由于人之不畏鬼。故明鬼以已乱。一主尚贤之论。治国之要，在于兼王。兼王者，合众人之贤以为贤。贤者之于人国家，能使危者安，亡者存。故曰："国有贤良之士众，则国家之治厚；贤良之士寡，则国家之治薄。"兼者治厚，兼愈多则治愈厚。兼王之极致，在位皆贤。不义不富，不义不贵，不义不亲，不义不近。而富者、贵者、亲者、近者，亦退而自谋，天下遂无有不善之人矣。天下之人尽归于善，唐虞三代之隆可坐而致也。统观墨子之说，洵足以治淫僻昏乱之国家。惟刻苦自厉，使人难行，异乎儒家之近于人情。故其学不昌也。近人情者，人乐其道，而从之者众，虽不能似，可以伪为；过于情者，人苦其道而不从。此后世之所以多伪儒，无伪墨也。然而以此愈见墨学之卓矣。

此说发挥墨学之精神，可谓善矣，然其所谓"小同大同"之说，在墨子谓之"知类"，而非尚同之义也。墨子之"尚同"，谓人民不下比而上同乎其上，家人上同于家长，里人上同于里长，由是而天下之人上同于天子，天子上同于天，是尚同之义也。且吾以为墨子唯一之主义在乎兼爱。而所以行此兼爱之主义，则有其道焉。兼爱者兼爱天下之人也。然天下之人甚众，又非一己所能毕事也。必使天下之人交相爱而不相害，是故非攻。攻战之事，起于义与利之争；一人一义，一国一义，则是非相争而攻战以起；欲息其争莫若尚同一义，是故尚同。同莫大于天，故尚同以天为准，故明天志。利之争起于不足，不足生于奢侈；欲救奢侈之弊，莫若节俭，故贵节用。葬与乐，皆当时之甚奢侈者也，故非乐节葬。儒者之末流，淫于礼乐，实与节用相违，是故非儒。执有命之说者使人不从事，则不能生财而徒耗财，亦与节用之旨相戾，是故非命。非命则人或将因而不信天志，则在朝之君将无所敬，而在野之民亦失其所畏，是故明鬼。

然徒善不足以为政，必在乎得其人，是故尚贤。然善必有诸己然后求诸人，恶必无诸己而后非诸人；未有己不自爱而能爱人者也，未有己不自善而能善人者也，故贵修身。此墨子欲推行其兼爱之主义而立说以教人者也。然我立说以教人，而世亦必有立说以破我者，则论理不可以不明也。故有《经》与《经说》等诸篇；所以使吾说为不刊之定论，而推行吾之主义者也。然而天下之人，未必尽听吾言，而不攻战也，则守御之法不可以不寻究。是故有《备城门》《备高临》诸篇。此墨学之大略，亦即《墨子书》诸篇之条贯也。

墨子之经学（一名墨子之六艺学）

墨子《贵义篇》称墨子南游使卫，关中载书甚多。毕沅云：关中犹云扃中，关、扃音相近。孙诒让云：古乘车，箱轿间以木为阑，中可庋物，谓扃，亦谓之关。弦唐子见而怪之。墨子曰："昔周公旦朝读书百篇，夕见漆十士。漆借为七。故周公旦佐相天子，其修至今。翟上无君上之事，下无耕农之难，吾安敢废此。"而《庄子·天下篇》亦称"墨子好学而博"。则墨子之博学可知。昔班孟坚作《艺文志》，先述《六艺》，后述十家，盖谓诸子皆《六经》之支与流裔也。是故，今之《六经》，虽出于儒家；而昔之《六艺》，实诸子与儒家之所同，非儒家之所得私也。故墨子虽非儒，而未尝不诵六艺。古之《六艺》，即今之《六经》所自出也。然《六艺》经孔子删述，已去其泰半矣。《六经》又经秦火之厄，亡者又益众。故吾人今日欲稍知秦火以前之《六经》，与夫孔子删订《六艺》以前之大略，非求之诸子，其道末由。而墨子之称引，则尤为宏博者也。其为吾人所亟当研究，不亦宜乎？然而今之谈墨学者夥矣，而独鲜闻有讨论及此者，盖《经》学之为世不重也久矣。吾以为此不独有补于治经，且可以知墨子之学之所由来也，故聚而论之。《六艺》当墨子之时，本无所谓"经"，而今题之曰"墨子之经学"者，盖亦从世俗之称，令治《经》者之注意云尔。大雅君子，幸无尤焉。

一 《易》

周秦诸子，称引《六艺》者，以《诗》《书》为最多，而《易》则独少。墨子亦然，殆无明引《周易》之文。然观其语法与意义，有可以知其为必从《周易》推演而出者。兹略举如下：

> 《修身篇》："畅之四支，接之肌肤，华发隳颠，而犹弗舍者，其惟圣人乎！"

此文虽不尽用《易》义，然"畅之四支"句，与《易·坤·文言》"美在其中而畅于四支"同。"其惟圣人乎"，与《乾·文言》"知进退存亡而不失其正者，其惟圣人乎"句法同。《史记·孟荀列传》，言"墨子或曰并孔子时，或曰在其后"，然则"畅于四支"及"其惟圣人乎"等语，或本春秋时习见之格言，故孔、墨皆用之与？或墨子此篇，成于后人之缀辑，故引用《文言》之语与？

抑如世之论者，以《文言》为出于七十子后，而为编《文言》者引用墨子之文与？斯则未敢臆定。与不得已，则前一说最为近是耳。

《贵义篇》："翟闻之：同归之物，信有误者。"

按此文孙诒让释之云："《易·系辞》云：'天下同归而殊涂。'《孔疏》云：'言天下万事，终则同归于一。'盖谓理虽同归，而言则不能无误。"然则墨子此语，盖与《易·系辞》同。由上两说观之，疑孔子之《十翼》，本多古《易》旧说。孔子述而不作，《十翼》之作，盖亦多整理旧文而时加己见而已。

二 《书》

《艺文志》云："《书》之所起远矣，至孔子纂焉，上断于尧，下讫于秦，凡百篇，而为之序，言其作意。秦焚书禁学，济南伏生独壁藏之。汉兴，亡失，求得二十九篇。"又云："武帝末，鲁恭王坏孔子宅，欲以广其宫，而得《古文尚书》。孔安国者，孔子后也，以考二十九篇，得多十六篇。"则《尚书》经秦火之后，其失传者多矣。《尚书·纬》云："孔子求得黄帝元孙帝魁之书，迄于秦穆凡三千二百四十篇，以百二篇为《尚书》；

十八篇为《中候》。"此《纬书》之言,虽不足信,然黄帝以来文字日滋,人事日繁,年代久远,则书策之多、傅会之众,孔子删取之严,乃必然之事。古之书,盖决不止孔子所删存之百篇,敢断言也。百篇之目,今尚可考。而《墨子书》所引,则有《竖年》《相年》之类,非百篇之所有者。非墨子之书,安足以知百篇以外之篇名哉?且书自秦火亡后,非墨子之书,则亡《书》之可考者,不亦更少矣乎?墨子之书,引《书》尤众,亦足以见墨子之学,本于《尚书》者尤深。《尚书》言治,多原于天;而墨子之言政,实本于《天志》。此其尤大彰明者也。兹略举墨子之引《书》者如下:

《七患篇》:"《夏书》曰:禹七年水。《殷书》曰:汤五年旱。"

毕沅云:管子《权数》云:"管子曰:汤七年旱,禹五年水。"与此文互异。孙诒让云:《吕氏春秋·顺民篇》:"昔者汤克夏而正天下,天下大旱,五年不收。汤乃以身祷于桑林。"与此书所言正合。王充《论衡·感虚篇》亦云:"《书传》言汤遭七年旱,或言五年。"是古书本有二说也。今按:此亦《尚书》之佚文。其篇名不传,或在百篇以内,或在百篇以外,今无由考矣。

《七患篇》:"《周书》曰,国无三年之食者,国非其国也;家无三年之食者,子非其子也。"

毕沅云:"《周书》云:《夏箴》曰:'小人无兼年之食,遇天饥,妻子非其有也;大夫无兼年之食,遇天饥,臣妾与马非其有也;国家无兼年之食,遇天饥,百姓非其有也。'墨子盖夏教,故义略同。"孙诒让云:"毕据《周书·文传篇》文,此文亦本《夏箴》,而与《文传》小异。考《穀梁》庄二十八年,传云:'国无三年之畜,曰,国非其国也。'与此文略同。疑先秦所传《夏箴》文本如是也。又《御览》五百八十八引胡广《百官箴叙》云:'墨子著书,称《夏箴》之辞。'盖即指此。若然,此书当亦称《夏箴》,与《周书》同。而今本挩之。"按孙说是也,此即当本于《周书·文传篇》之文,而略节省之者。一作兼,一作三者,盖传本之异,且兼三声近而误也。

《尚贤中篇》:"《传》曰:求圣君哲人,以裨辅而身。"

此与《尚贤下篇》所引略同。

《尚贤下篇》:"于先王之书,《竖年》之言然,曰:晞夫!圣武知人,以屏辅而身。"

苏时学云:"《伊训》云:'敷求哲人,俾辅于尔后嗣。'与此略同。"又云:"晞当从口作唏;晞夫叹词。"孙诒让云:"晞夫圣武知人,以屏辅尔身。文义较详备。上篇约述之。俾辅不当言圣君,君盖亦武之讹。"按此《伪尚书·伊训》所本。墨子上篇虽不称书,然以下篇称先王之书考之,盖亦《尚书》之文。《竖年》之篇,盖孔子所删百篇以外者。

《尚贤中篇》:"《汤誓》曰:'聿求元圣,与之戮力同心,以治天下。'"

简朝亮云:盖《汤誓》之佚文,今窜为《汤诰》尔。按今《汤誓》无此文,足见孔子未删之《书》,《汤誓》不止一篇。

《尚贤中篇》:"傅说被褐带索,庸筑乎傅岩。武丁得之,举以为三公,与接天下之政,治天下之民。"

此与《尚贤下篇》亦略同。

《尚贤下篇》:"昔者傅说居北海之洲,衣葛带索,庸筑于傅岩之城。武丁得而举之,立为三公,使之接天下之政,而治天下之民。"

此虽不称《书》说,然与《书叙》云"高宗梦得说,使百工营求诸野,得诸傅岩"之说,颇足相发。简朝亮云:"此孟子所谓傅说举于版筑之间也。《书疏》引《尸子》云:'傅岩在北海之州。'与墨子同。"按此亦古《尚书》说也。

《尚贤中篇》:"若昔者伯鲧,帝之元子,废帝之德庸,既乃刑之于羽之郊,乃热照无有及也。"

此亦不称《书》说,然与《尚书·尧典》所谓"方命圮族,及殛鲧于羽山"之说,足以相发;当亦古《尚书》说也。

《尚贤中篇》:"先王之书,《吕刑》道之,曰:皇帝清问下民,有辞有苗,曰:群后之肆在下,明明不常,鳏寡不盖。德威维威,德明维明。乃名三后,恤功于民。伯夷降典,哲民维刑。禹平水土,主名山川。稷隆播种,农殖嘉谷。三后成功,维假于民。"

此盖《尚书·吕刑》之文。《吕刑》原文如下：

群后之逮在下，明明棐常，鳏寡无盖。皇帝清问下民，鳏寡有辞于苗。德威惟威，德明惟明。乃命三后，恤功于民。伯夷降典，折民惟刑。禹平水土，主名山川。稷降播种，农殖嘉谷。三后成功，惟殷于民。

简朝亮云："墨子所引者，其文上下与今本不同。'逮'作'肆'，此墨子文残而讹尔。'棐常'作'不常'，'无盖'作'不盖'，此异文也。'有辞'上无'鳏寡'字，'于苗'作'有苗'，'惟'作'维'，亦异文也。其'群后'上有'曰'字，非《书》辞也。'曰'者，引《书》之辞，蒙《墨子》上文'道之曰'而言。盖《墨子》约举上下经文，段氏玉裁以为'捃摭不同'，是也。《说文》云：'肆，陈也。'高诱《淮南子》注云：'盖，蔽也。''主名'者，山川有名，而未有主名，禹则域某山某川以为一州主也。'折'《墨子》引作'哲'，《汉志》作'悊'，班氏谓制礼以止刑，盖'悊'与'折'义同。《周官太宰》云：'三农生九谷。'郑司农云：'三农，平地、山、泽也。'《左传》杜注：'殖，生长也。'《释诂》云：'嘉，美也。'《墨子》引'殷'作'假'。江氏声云：'假，至也，其功至于民也。'"按简氏以《墨子》之"肆"为讹文,非是。孙诒让云:"'肆'正字作'隸',与'逮'声类同,古通用。此'肆'即'逮'之假借。"按孙说是也。"降"《墨子》引作"隆","降""隆"古通,王引之说。"农"当从孙星衍说,据《广雅》训作勉。

《尚贤下篇》:"于先王之书,《吕刑》之书然。王曰:于,来,有国有土,告女讼刑。在今而安百姓。女何择言人,何敬不刑,何度不及?"

此亦《尚书·吕刑》之文。

王曰:吁!来,有邦有土,告尔详刑。在今尔安百姓,何择非人,何敬非刑,何度非及?

简朝亮云:"墨子引'邦'作'国','尔'作'女','尔安'作'而安','何择'上有'女'字,皆文异而义同也。'详'作'讼','非'作'言'、作'不',此墨子文残而讹尔。盖《墨子》多残,以孟子辟之,其书几废也。或曰:'言'者,'吉'之讹也。柱按:此段玉裁说,非也。吉人而曰何择,可乎?"段玉裁云:"讼刑,公刑也。"王引之云:"'言'当为'否'。篆书'否'作'䅭',

'言'字'作𠱿',二形相近。隶书'否'字或作'啇','言'字或作'啇',亦相似。故'否'误为'言','否'与'不'古字通。按段、王说,是也。'非'、'不'、'否',古均通用。"

《尚同中篇》:"先工之书,《吕刑》之道,曰:苗民否用练,折则刑,惟作五杀之刑,曰,法。"

此亦《吕刑》之文。《尚书》原文如下:

苗民弗用灵,制以刑,惟作五虐之刑,曰,法。

简朝亮云:"《墨子》'弗'作'否','灵'作'练','制'作'折','虐'作'杀',皆异文也。《礼·缁衣》引之,'弗'作'匪','灵'作'命'。孙氏星衍云:'制、折,匪、否,声之近也。'段氏玉裁云:'灵、练,双声。'以《墨子》上下文观之,'练'亦训'善'也。《缁衣》作'命'者,古'灵'、'令',皆训'善'。'命'者,'令'之讹也。此言淫刑之始,以为赎罪之地也。'苗'谓三苗;'民',人也,古以为上下通称,此统其君而言也。"按墨子引此,前云:"若有苗之以五刑然。昔者圣王制为五刑以治天下,逮至有苗之制五刑,以乱天下。

则此岂刑不善哉？用刑则不善也。"而于其后则继之云："则此言善用刑者以治民，不善用刑者以为五杀。则此岂刑不善哉？用刑则不善。"则《尚书》此节，为言苗之不善用刑，以虐杀人民，其意甚显。"制以刑"，《墨子》引作"制五刑"，孙诒让云："即下五杀之刑。"然则，或释书"制以刑"，为制乱民以刑，以谓承上文而言，其说不待辨而其谬显然矣。

《尚同中篇》："先王之书，《术令》之道，曰：惟口出好兴戎。"

此《伪尚书·大禹谟》所袭之文也。孙诒让云："术令当是说命之假字。《礼记·缁衣》云：'《兑命》曰：惟口起羞，惟甲胄起兵，惟衣裳在笥，惟干戈省厥躬。'郑《注》云：'兑当为说，谓殷高宗之臣傅说也，作书以命高宗，《尚书》篇名也。羞犹辱也，惟口起辱，当慎言语也。'按此文与彼引《兑命》辞义相类。术说，令命，音并相近，必一书也。晋人作《伪古文书》，不悟，乃以窜入《大禹谟》，疏缪殊甚。近儒辩古文《书》者，亦皆不知其为《说命》佚文，故表出之。"刘师培云："孙说是也。古籍'兑'、'队'通用。《左传》襄十三年，'夜入且于之隧。'《礼记·檀弓下》，郑注引之云：'隧或为兑。'隧、术亦通用,如本书《耕柱篇》,'不遂'即'不述';《备城门篇》,'冲术'即'冲隧',是也。'说'假为'隧',因假为'术'矣。"按孙、刘说是也。

《尚同中篇》:"先王之书,《相年》之道,曰:夫建国设都,乃作后王君公,否用泰也。轻大大师长,否用佚也。维辩使用天均。"

毕沅云:《相年》当为《拒年》。李笠云:"《距年》又作《相年》《竖年》者,盖距或作拒,因讹为相。竖则距之音误耳。"吴汝纶云:"《术令》《相年》,盖皆百篇之书篇名也。"按《术令》即《说命》,固为百篇之书名;而《相年》《距年》,则不在百篇之目,当为孔子删前之《书》之篇名无疑。李笠云:"《墨子》在秦火以前,又与儒家背驰。故其引用古籍,时有溢出儒言之外。"其说是也。下篇云:"古者建国设都,乃立后王君公,奉以卿士师长,此非欲用说也,唯辩而使助治天明也。"下篇虽不明言《书》说,然文义与此篇所引略同。王闿运刊本,以"轻"为"辅"之误,"辅"下增"以"字。以下篇"奉以"二字例之,王校是也。"维辩使治天均",孙诒让云:"辩、辨字通。辩,分也,谓分授以职,使治天均。"按孙说是也。但"维辩使治天均",不成句。下篇作"唯辩而使助天明也"。此文"辩"下当有"而"字。"均"篆作"坶","明"篆作"朙"。"均"疑亦"明"字形似之讹。"维辩使治天明",犹云分而使之治天明也。天明,犹天事也。《大戴记·虞戴德》:"天事曰明。"又,犹天工也。《皋陶谟》曰"天工人其代之"、"分而使治天明",谓命官分职,而使代天工也。

《尚同下篇》:"于先王之书也,《太誓》之言然,曰:小子见奸巧乃闻,不言也发罪钧。"

此今《伪大誓》所袭之文也。苏时学云:"发当为厥。今《泰誓》云,厥罪钧。"江声云:"发谓发觉也。钧、均同。"吴汝纶云:"闻疑阋之讹,发乃厥之误。"吴闿生云:"疑乃闻二字为句,谓闻于上。"柱按:吴闿生说是也。"小人见奸巧乃闻",谓小人见奸巧当闻于上。"不言也发罪钧",谓不闻于上,则事发之后,罪与犯罪者均也。简朝亮云:"此纣之虐刑也。言小民见奸巧矣,乃闻。其不言告也,事发则罪钧同焉。《梓材》曰:'肆往奸宄,杀人,历人宥。'盖其君无厉杀人,故今往奸宄,往杀人,所过之人,有不知情,而可宥者宥之也。此武王告康叔者,异于纣之虐刑矣。夫历人,则见奸巧者也。然有见奸巧而不知其为奸巧者,岂可不宥而罪之乎?"按简说,非也。《墨子》上文云："治天下之国，若治一家；使天下之民，若使一夫。意独子墨子有此，而先王无此邪？原作"无此其有邪"，据孙诒让校改。则不然也。圣王皆以尚同为政于天下。"不，原作亦，形似之误。下乃引此文，为先王尚同之证。所引发罪钧，即证明上文"若治一国"，"若使一夫"之义，所谓尚同之旨也。夫墨子岂以纣为先王，而祖述之邪？吾有以知其必不然矣。

《兼爱中篇》："昔者文王之治西土，若日若月，乍光于四方于西土。不为大国侮小国，不为众庶侮鳏寡，不为暴势夺人黍稷狗彘。天屑临文王慈。"

此文《兼爱下篇》引之，称为《大誓》。

《兼爱下篇》："《大誓》曰：文王若日若月，乍照于四方于四土。"

此《伪太誓》所袭之文也。《伪太誓》文云：

"呜呼！惟我文考！若日月之照临，光于四方，显于西土。"

盖上篇不称"《大誓》曰",故作《伪尚书》者止采下篇之文,而上篇"不为大国侮小国"以下则未之采也。简朝亮云:"《墨子》所引者,言四方之光,由西土始也。何史文之曲而达也?《孟子》称长息言舜云:'号泣于旻天,于父母。'其为文同也。今伪者窜之为对文尔,乍古通作。"孙诒让云:《汉书·马廖传》李注云:屑,顾也。

《兼爱中篇》:"昔武王将事泰山,遂《传》曰:泰山!有道曾孙周王有事大事。既获仁人,尚作以祗商夏、蛮夷丑貉。虽有周亲,不若仁人。万方有罪,惟予一人。"

此伪古文《武成》及《泰誓》之所本也。《伪武成》云:

惟有道曾孙周王发,将有大正于商。中略。"予小子既获仁人,敢祗承上帝,以遏乱略;华夏蛮貊,罔不率俾。"

《伪泰誓》云:

虽有周亲,不如仁人。中略。百姓有过,在予一人。

阎若璩云:"玩其文义,乃是武王既定天下后,望祀山川;或初巡守岱宗,祷神之辞;非伐纣时事也。"简朝亮云:"墨子所引者曰周王,曰万方,其为既定天下无疑也。今伪者乃窜之为伐纣时祭告乎?《诗·大明》云:'矢于牧野,维予侯兴。'盖伐纣时称侯,不称王也。"阎、简之说,足以证作伪书者之妄矣。墨子引云:"以祇商、夏、蛮夷丑貉。"孙诒让云:"祇当读为振。《内则》:祇见孺子。郑《注》云:祇或作振。《国语·周语》云:以振救民。韦注云:振,拯也。"刘师培云:"此文常读以商句,即伪《武成》'祇承上帝'所本也。'夏'上亦有'挩'字。'夏蛮夷丑貉'即伪书之'华夏蛮貊'也。寻绎伪书之谊,盖读商为尚。商、尚古通,《楚辞·天问》云:'启棘宾商,九辨九歌。'《山海经·大荒西经》则云:'开三上嫔于天,得九辨与九歌以下。'是宾商即嫔天也。此文以商为天,义与《天问》相同。故伪《书》易为上帝。古籍言天,恒单举上字。《尚书·文侯之命》:'昭升于上',《释文》引马注云:'上,天也。'均其证。尚、商并即上字。故商与天同。孙氏以祇为振,读此八字为一语。然商夏为代名,不当与蛮夷丑貉并文。故知'夏'上有挩字也。"按刘说非是。上文"周王有事大事"云云,"大事"二字,疑即"有事"二字之衍坏。既获仁人为句,即《伪武成》所谓余小子既获仁人是也。尚作以祇商夏、蛮夷丑貉为句。商当是华字之误。《伪武成》"华夏蛮貊"，当即本此。作，用也。尚即尚贤之尚。"尚用以祗华夏、蛮夷丑貉"，承上文"既获仁人"而言。谓获此仁人，尚用之以拯救华夏及蛮夷丑貉也。

> 《兼爱下篇》："虽《禹誓》亦犹是也。禹曰：济济有众，咸听朕言：非惟小子，敢行称乱；蠢兹有苗，用天之罚。若予既率尔群对诸群，以征有苗。"

此《伪尚书·大禹谟》之所袭也。《伪大禹谟》云：

> 禹乃会群后，誓于师曰：济济有众，咸听朕命；蠢兹有苗，中略。天降之咎。肆予以尔众士，奉辞伐罪。

简朝亮云："墨子引《禹誓》，此禹既即位者也。盖《尧典》言舜在尧时而窜三苗矣。及舜即位，《皋陶谟》犹谓苗顽也。故《尧典》则称舜分北焉。今禹即位，誓而征之；此苗顽既服，至禹时而又蠢然动也。今乃以《禹誓》窜之于舜时乎？《禹誓》称小子者，禹自为辞，不称帝命也。明禹既即位故也。苟为舜时之誓，则《墨子》所引者何以不曰奉辞邪？《战国策》云：'禹攻有苗。'

又云：'三苗为政不善，而禹放逐之。'此《禹誓》之由也。隐八年，《穀梁传》云：'诰誓不及五帝。'《荀子》说同。然则舜时无《禹誓》矣。"按简说足以祛伪书之妄矣，墨子引《书》云："若予既率尔群对诸群。"惠栋云："群，犹君也。"孙诒让云："惠说近是。此群对诸群，当读为群封诸君，封与邦古音近通用。封、对形近而误。群封诸君，言众邦国诸君也。"简朝亮本"诸"作"尔"，读若予既率尔群句；对尔群句；以征有苗句。说云："群者君所有之众也；对，会也。言今若予者，既为君而统率尔群众矣。故会尔群众以征伐此有苗也。"其说亦通。墨子引此，以为兼爱之证。盖除天下之害，即所以兼爱天下也。

《兼爱下篇》："虽《汤说》即亦犹是也。汤曰：惟予小子履，敢用玄牡，告于上天后，曰：今天下大旱，即当朕身履，未知得罪于上下。有善不敢蔽，有罪不敢赦，简在帝心。万方有罪，即当朕身；朕身有罪，无及万方。"

此与《论语·尧曰篇》所引略同。《论语》文云：

予小子履，敢用玄牡，敢昭告于皇皇后帝：有罪不敢赦，帝臣不蔽，简在帝心。朕躬有罪，无以万方；万方有罪，罪在朕躬。

此《伪尚书·汤诰》之所袭也。《伪汤诰》云：

肆台小子。将天命明威，不敢赦，敢用玄牡，敢昭告于上天神后，请罪有夏。中略。兹朕未知获戾于上下，栗栗危惧，若将陨于深渊。中略。尔有善，朕弗敢蔽，罪当朕躬，弗敢自赦，惟简在上帝之心。其尔万方有罪，在予一人；予一人有罪，无以尔万方。

《论语》与《墨子》，虽详略小异，然文义大抵相同。至《伪书》则未免画蛇添足矣。简朝亮云："孔安国《论语注》曰：'此罚桀告天之文。'《墨子》引《汤誓》，其辞若此。由今考之，《论语》与《墨子》所引者文不皆同而义同。孔注以《汤说》为《汤誓》，盖因《周语》而改之，非也。《周语》云：'在《汤誓》曰：余一人有皋，无以万夫；万夫有皋，在余一人。'皋，古罪字。盖与墨子所引者文义不同。《汤誓》称万夫焉，诸侯统军众之辞也；《汤说》称万方焉，天子有天下之辞也；皆无可蒙也。《吕氏春秋》云：'昔者汤克夏而正天下，大旱，五年不收。汤乃以身祷于桑林，曰：余一人有罪，无及万夫；万夫有罪，在余一人；无以一人之不敏，使上帝鬼神伤民之命。'此言祷雨者盖与《汤说》义同。而言万夫者，则吕氏属辞之未审也。彼固不称书辞也。且《墨子》所引者，先《大誓》焉，次《禹誓》焉，次《汤说》焉，次《周诗》焉，故其文云：'不惟《誓命》与《汤说》为然，《周诗》即亦犹是也。'如果《汤说》果为《汤誓》欤？则当约之曰：不惟《誓命》为然，可矣；而乃曰，不惟《誓命》与《汤说》为然。何其不辞之甚乎？然则《汤说》之非《汤誓》也，岂不足征邪？"按简说是也。墨子引此，以谓汤贵为天子，富有天下，尚以身为牺牲，以祠说于上帝鬼神，以为汤行兼爱之证。

《天志中篇》："先王之书，明天不解之道也知之。曰：明哲维天，临君下土。"

此盖《尚书》之佚文，其篇名今不可知矣。"土"旧本作"出"，王引之云："下'出'字义不可通。'出'当为'土'。'明哲维天，临君下土'，犹《诗》言'明明上天，照临下土'耳。"按王说是也。今据正。或疑《墨子》此文本引《诗》文，亦可备一说。《墨子》引此，盖以明天之贵且智于天子，以见天志之不可不慎也。

《天志中篇》:"《大誓》之道之曰：纣越厥夷居，不肯事上帝，弃厥先神祇不祀。乃曰：'吾有命。'无廖僇务天不，天亦纵弃纣而不葆。"

此文《非命上篇》及《中篇》所引亦大略相同。

《非命上篇》:"于《太誓》曰：'纣夷处，不肯事上帝鬼神，祸厥先神禔不祀。乃曰："吾民有命。"无廖排漏，天亦纵弃之而弗葆。"
《非命中篇》:"先王之书，《太誓》之言然，曰：'纣夷之居，而不肯事上帝，弃阙其先而不祀也。曰："我民有命。"毋僇其务，天不亦弃纵而不葆。"

此《伪尚书·大誓》之所袭也。《伪大誓》云：

惟受罔有悛心，乃夷居，弗事上帝神祇，遗厥先宗庙弗祀，牺牲粢盛，既于凶盗。乃曰"吾有民有命"，罔惩其侮。

墨子所引《大誓》，皆大同小异。以三文比而观之，《天志中篇》所引"僇务"下有"天不"二字，毕沅以为"天亦"二字之误衍，是也。厥、阙亦同音通用。《非命中篇》"阙"下之"其"字，又因"阙"字而误也。廖、僇皆音近勠，《说文·力部》，勠，并力也。"僡""排"皆当为"其"字之音讹。"漏"字又为"侮"字之音讹。《非命中篇》所引"天"下之"不"字，"不"与"亦"因形近而误衍。简朝亮订正墨子文如下：

> 纣夷居，不肯事上帝鬼神，弃厥先神祇不祀。乃曰："吾民有命。"毋僇其务，天亦纵之弃而弗葆。

江声云："夷居，倨嫚也。"简朝亮云："夷，平；居，坐也。平坐谓箕踞不危坐也。《论语》曰'原壤夷俟'，盖夷居则不安拜跪之礼焉。"按墨子《天志篇》引此谓其不肯事上帝，以明其不顺天志而得罚也。《非命篇》谓其恃其有民有命、毋僇其务而得罚也。一以明有天志；一以明无命。

> 《明鬼下篇》："故圣王其赏也必于祖，其僇也必于社。"

此虽不称篇名，然下文云："非惟若书之说为然也"，则亦明指此文为引《书》之文，盖引《甘誓》者也。墨子释之云："赏于祖者何也？告分之均也。僇于社者何也?告听之中也。"盖以谓于祖于社,则有鬼神监之,而赏之必均,罚之必中,明鬼神之有也。

《明鬼下篇》:"然则姑尝上观乎《商书》曰:呜呼!古者有夏,方未有祸之时,百兽贞虫,允及飞鸟,莫不比方;矧佳人面,胡敢异心;山川鬼神,亦莫敢不宁;若能共允,佳天下之合,下土之葆。"

简朝亮云:"于时言方者,盖方正其时也。贞,正也。《易》曰:'乾道变化,各正性命,保合大和,乃利贞。'明万民之各正也。故虫曰贞虫,互文也,亦可言贞兽百虫矣。《易》所以言物与无妄也。允,信也。及者,若《易》言'信及豚鱼'也。今于飞鸟言信及者,是百鸟以贞矣。其信及走兽昆虫可知也。亦互文也。比,相次也。方者,正也。《易》曰:'直其正也,方其义也。'盖正则方矣。佳古通惟,盖文之假借也。葆古通保。盖《商书》叹言古者有夏之时,方其未有祸也,百走兽昆虫之贞,以与飞鸟皆信及之,无不相次以正焉。况惟人面,其信及者亦何敢异心乎?故山川鬼神其信及者亦无敢不安也,是共信也,所谓共允也。有夏以能共信者,合天下,保下土,其时则未有祸矣。非能共信,无以合天下;非合天下,无以保下土。盖保下土者,保天下也。今我商若能共信乎？则惟天下之合，惟下土之保；言保合大和，如有夏之时也。"按墨子引此，继之曰："察山川鬼神之所以莫敢不宁者，以佐谋禹也。此吾之所以知《商书》之鬼也。"盖墨子以山川之鬼神能佐禹，以为有鬼之证也。

《明鬼下篇》："《禹誓》曰：'大战于甘，王乃命左右六人，下听誓于中军。曰："有扈氏威侮五行，怠弃三正，天用剿绝其命。"有曰：注：孙诒让云"有"读为"又"。"日中，今予与有扈氏争一日之命。且尔卿大夫庶人，予非尔田野葆士之欲也，予共行天之罚也。左不共于左，右不共于右，若不共命；御非尔马之政，若不共命。是以赏于祖而僇于社。"

此盖引《尚书·甘誓》之文也。《甘誓》云：

大战于甘，乃召六卿。王曰："嗟！六事之人，予誓告汝：'有扈氏威侮五行，怠弃三正，天用剿绝其命。今予惟恭行天之罚。左不攻于左，汝不恭命。右不攻于右，汝不恭命。御非其马之正，汝不恭命。用命赏于祖，不用命戮于社。予则奴戮汝。"

《墨子文》与《经文》略有不同。盖《墨子》之文,既多笔录口语,而所见亦有异也。俞樾云:"葆士无义。士,疑玉字误。葆玉即宝玉也。"俞说是也。《墨子》之"且",即《经文》之"嗟",古声同也。《经文》"攻"字,《墨子》作"共",盖共、攻声近之借。墨子引此而下即继之曰:"赏于祖者何也?言听狱之事也。"王念孙云"事者,中之坏字",是也。墨子盖以祖与社能使刑赏之中,以明鬼神之为有也。

《非乐上篇》:"先王之书,《汤之官刑》有之,曰:其恒舞于宫,是谓巫风。其刑,君子出丝二卫;小人否,似二伯《黄径》乃言曰:呜呼!舞佯佯,黄言孔章,上帝弗常,九有以亡。上帝不顺,降之百殃,其家必坏丧。"

此《伪尚书·伊训》之所袭也。《伪伊训》云:

"敢有恒舞于宫,酣歌于室,时谓巫风。敢有殉于货色,恒于游畋,时谓淫风。敢有侮圣言,逆忠直,远耆德,比顽童,时谓乱风。惟兹三风十愆,卿士有一于身,家必丧;邦君有一于身,国必亡。臣下不匡,其刑墨,具训于蒙士。"呜呼!嗣王祗厥身，念哉！圣谟洋洋，嘉言孔彰。惟上帝不常，作善降之百祥，作不善降之百殃。尔惟德罔小，万邦惟庆；尔惟不德罔大，坠厥宗。"

《伪书》之文盖袭《墨子》而增益之。《墨子》所引"其刑，君子出丝二卫；小人否，似二伯，《黄径》乃言曰"十七字。孙诒让云："此文有挩字。《伪古文·伊训》采此而独遗其刑以下数句，盖魏晋时传本已不可读，故置不取。《非命下篇》节引下文，作《大誓》，疑此下文乃言曰以下。自是《周书》与《汤刑》本不相蒙，因有挩误，遂淆混莫辨也。""舞佯佯，黄言孔章"，毕沅云："舞当为䇯，䇯与谟音同。《孔书》作'圣谟洋洋'。'黄'《孔书》作'嘉'，是。"王引之云："毕说非也。'舞洋洋，黄言孔章，上帝弗常，九有以亡'，即下文之'万舞翼翼，章闻于天，天用弗式'也。此承上文言耽于乐者，必亡其国。故下文云：'察九有之所以亡者，徒从饰乐也。'东晋人改其文曰：'圣谟洋洋，嘉言孔彰，惟上帝不常。'则与《墨子·非乐》之意了不相涉。而毕反据之以改原文，慎矣。"孙诒让云："王说是也。'黄'疑当作'其'。'其'篆文作'其'，'黄'古文作'芡'，二字形近。《非命下篇》引《大誓》云，其行甚章，与此语意略同。下文'上帝弗常'四句，彼引《大誓》亦有之。"简朝亮云：" 佯佯犹洋洋也。《诗·閟宫》云：'万舞洋洋。''黄'者，簧也。古笙中之簧，以黄金为之。《诗·考言》云：'巧言如簧。''殃'古通'拜'。《诗·召旻》云'今也日蹙国百里'，此日殃之类也。夫黄言者，乐恒舞者之言也，非嘉言也。故上帝以是亡之。今伪者乃反其辞乎？"按观王、简诸说，可以知《伪书》之失古意矣。"似二伯《黄径》"句，疑本为以二帛《黄经》？"以""似"形音俱近而讹；"帛""伯"古通作"白"，故误为"伯"；"径""经"亦形音俱近而讹。"二帛《黄经》"与上文"出丝二卫"，"二卫"与"二帛"相类，"丝"与"经"亦相类也。墨子引此而继之曰："察九有之所以亡者，徒从饰乐也，盖以证明乐之足以亡人国，以为非乐之本。"

《非乐上篇》："于《武观》曰：'启乃淫溢康乐，野于饮食，将将铭，苋磬以力。湛乐于酒，渝食于野，万舞翼翼，章闻于大，天用弗式。'"

此《五子之歌》之逸文也。今《伪尚书·五子之歌》不袭此为文，盖或不明其义也。"启乃淫溢康乐"，惠栋云："'启乃'当作'启子'，'溢'与'洪'同。"江声云："启子，五观也。启是贤王，何至淫洪。故知此文当为'启子'。'乃'，字误也。"孙诒让云："此即指启晚年失德之事,'乃'非'子'之误也。《竹书纪年》及《山海经》皆盛言启作乐。《楚辞·离骚》亦云:'启九辨与九歌兮,夏康娱以自纵。不顾难以图后兮,五子用失乎家巷。'并古书言启淫泆康乐之事。淫泆康乐,即《离骚》所谓'康娱自纵'也。"简朝亮云:"《史记》曰:夏后帝启崩,子帝大康立。帝大康失国,昆弟五人,须于洛汭,作《五子之歌》。盖作歌以刺五子也。《周书·尝麦篇》曰'其在启之五子,忘伯禹之命',斯足征矣。《楚语》云'启有五观',盖'武'者,'五'之声近也。武观即《五子之歌》也。故皆有韵焉。启,开;乃,汝也。《说命》云'启乃心',此言'启乃'者不同,其为文可借而反观矣。盖先王未有此焉,今开之自汝尔。或曰:'启乃'当作'启子',非也。如曰'启子',不当称启子某乎?今徒称启子,是父名而子反不名也。"按简说近是。"将将铭,莧磬以力",孙诒让云:"'将将铭'疑当作'将将锽锽'。《诗·周颂·执竞》云'钟鼓喤喤,磬管将将',《说文·金部》引《诗》'喤喤'作'锽锽';《毛传》云:'喤喤,和貌也。将将,集也。'《说文·足部》云:'跄,行貌。'引《诗》'管磬跄跄',则'将'亦'跄'之借字。此'力'虽与上文'食'及下文'翼''式'韵协,然义不可通。且下文'酒''野'亦与'力'不合。窃疑此当为'将将锽锽,管磬以方'。'方'与'锽'自为韵。'力''方'形亦相近。《仪礼·乡射礼》郑《注》云:'方,犹并也。''管磬以方',谓管磬并作,犹《诗》云'笙磬同音'矣。""章闻于大",惠栋云:"大当作天。"按此文启乃淫溢康乐,野于饮食,乃叙事之文。将将锽锽以下,乃歌文。"铭"当从孙说作"锽锽","力"当从孙说作"方",锽方韵。下文"酒"字读敛音,酒野韵,翼式韵。惟上为叙事,下为歌文,故野于饮食,与渝食于野,不为重复也。墨子引此而继之曰:"故上者天鬼弗戒,下者万民弗利。""戒"当从孙诒让改作式,即蒙上文引《书》"天用弗式"之文。盖以明淫于乐,则天弗式、民弗利,以见乐之当非也。

《非命上篇》:"于《仲虺之告》曰:我闻于夏人,矫天命,布命于下;帝伐之恶,龚丧厥师。"

此与中下两篇所引略同。中篇云:

于先王之书,《仲虺之告》曰:我闻有夏人,矫天命,布命于下;帝式是恶,用阙师。

下篇云:

《仲虺之告》曰：我闻有夏人，矫天命于下；帝式是增，用爽厥师。

以上三文对勘，上篇所引之"龚"，即"用"字之音借。中篇所引"用阙师"，"阙""厥"亦声借。惟"阙"上当挩一"表"字。下篇所引"天命"，下当挩"布"字。"爽"与"丧"亦声近通借。其余"伐"之或作"式"；"恶"或作"增"，"增"与"憎"通；文虽异而意则同也。《伪尚书·仲虺之诰》本之。其文云：

夏王有罪，矫诬上天，以布命于下；帝用不臧，式商受命，用爽厥师。

简朝亮云："《墨子·非命篇》云云，盖'爽师'者，失众也。今伪者袭而窜之。伪《传》云：'爽，明也。用明其众，言为王也。'其相反有如此者。"按墨子引此而继之曰："此言汤之所以非桀之执有命也。"盖以桀执有命之说而亡，而汤非而伐之，所以代兴，以见命之当非也。

《非命中篇》："武王以《大誓》非之，有于三代不国有之，曰：女毋崇天之有命也。"

此盖《尚书》百篇外之逸文也。苏时学云:"所引盖《逸书》,不字疑误。"孙诒让云:"'不'疑当作'百';三代百国,或皆古史记之名。《隋书·李德林传》引《墨子》云:'吾见百国《春秋》。'"

《非命中篇》:"于召公之执令亦然,且:'敬哉,无天命!惟予二人,而无造言,不自降天,之哉得之。"

此亦《尚书》佚文,在百篇与否,今不可考矣。毕沅云:"'且'当为'曰'。"孙诒让云:"'于召公之执命于然',疑当作'于召公之非执命亦然';'自降天,之哉得之',疑当作'不自天降,自我得之'。"柱按疑当作"不降自天,自我得之"。"降自"误倒作"自降","之""自"音近,"哉""我"形近而讹。

《非命下篇》:"禹之《总德》有之,曰:允不著,惟天民而不葆。既防凶心,天加之咎。不慎厥德,天命焉葆。"

此亦百篇以外之书也。苏时学云:"《总德》,盖逸篇书名。"孙诒让云:"'著'疑当为'若','允不若',信不顺也。"按墨子引此，盖以为不慎其德，则天命不能葆，以见命之当非也。

《非命下篇》："《太誓》之言也，于去发曰：恶乎！君子！天有显德，其行甚章！为鉴不远，在彼殷王！谓人有命，谓敬不可行；谓祭无益，谓暴无伤？上帝不常，九有以亡！上帝不顺，祝降其丧！惟我有周，受之大帝！"

此《伪尚书·泰誓》之所袭也。《伪泰誓》中云：

谓己有天命，谓敬不足行！谓祭无益！谓暴无伤！厥监惟不远，在彼夏王！

《泰誓下》云：

上帝弗顺，祝降时丧。中略。惟我有周，诞受多方。

盖《伪书》之文，分椷割列甚矣。《墨子》"于去发"三字，孙星衍云："或太子发三字之误。"庄述祖云："去发当为太子发。武王受文王之事，故自称太子，述文王伐功告诸侯，且言纣未可伐，为《太誓上篇》。"俞樾云:"古人作书,或合二字为一,如石鼓文'小鱼'作、'鲞'是也。此文'大子'或合书作'夻',其下阙坏,则似'厺'字,因误为去耳。"按俞说虽言之成理,然下文"武王为《太誓》,去发以非之",若改云"武王为《大誓》,太子发以非之",则于义为不可通。疑"《太誓》之言也于去发",本当为"于《大誓》之言也"。"于大誓"三字误倒在"也"字下,又以形相近而误"大"为"厺",声相近而误"誓"为"发";学者不解,又以下文所引为今《伪泰誓》之文,故于"之言也"之上,又加"泰誓"二字;于是下文"于去发"三字遂不能知其为倒误矣。下文"武王为《泰誓》,去发以非之","去发"二字同此衍误。"受之大帝",陈乔枞云:"'商'字作'帝',非是。此节皆有韵之文,作商则与上文叶,今订正之。"陈说是也。《墨子》引此,盖以《纣》执有命而亡,武王执非命而兴,以见命之当非也。

《公孟篇》:"故先王之书,子亦有之曰:亓傲也出,于子不祥。"

此亦《尚书》逸篇之文也。戴望云:"'子亦'疑当作'亓子'。'亓',古'其'字,'其子'即'箕子'。《周书》有《箕子篇》,今亡。"按《墨子》引此文而继之曰："此言为不善之有罚，为善之有赏。"盖言鬼神之能赏罚祸福，亦明鬼之义也。

以上所引《墨子书》之《尚书说》，盖大略尽于此矣。顾尚有一事，为自来诸家所未注意者，则《明鬼》下篇所谓"尚书《夏书》，其次商周之书"之云，是也。王念孙云："'尚书《夏书》'，文不成义，'尚'与'上'同，'书'当为'者'，言上者《夏书》，其次商周之书也。"王氏改尚书为尚者，不知尚书二字本不讹，且可据此而明《尚书》之定义也。自来释《尚书》之义，大约不外三说：

一，郑玄云：尚者，上也。尊而重之，若天书然。故曰《尚书》。
二，王肃云：上所言、史所书也。
三，《伪孔传叙》云：伏生以其上古之书，谓《尚书》。

此三说均有所难通。孔子于《易》亦何尝不尊，尝曰："假我数年，五十以学《易》，可以无大过矣。"其尊之为何如邪？然亦奚不尊《易》为尚书？王肃之云，简朝亮已辨之矣。盖史录君臣，岂惟上之书而已乎？《伪孔》之说，以"尚"为上古。然《书》及《秦誓》，周之于秦，岂得为上古？则亦无说以应也。然由《墨子》之说以观之，以"尚"与"其次"为文；以《夏书》为《尚书》，以商周为其次：则尚为上古之义。《尚书》云者，犹今所谓上古史；本当时之旧称，止以名虞夏以前之书，而商周之书则称之曰书而已。在昔本自有别，至孔子删书而总称之曰书；故见于周秦诸子者多称《书》或称《虞书》《夏书》，鲜言《尚书》者。至汉则又以秦穆以前为上世，故总而名之曰《尚书》。如是则《尚书》之名，其义乃可得而明矣。

三 《诗》

《史记·孔子世家》云："古者《诗》三千余篇。及至孔子，去其重，取其可施于礼义，上采契后稷，中述殷周之盛，至幽厉之缺，三百五篇，孔子皆弦歌之，以合韶武雅颂之音。"《汉书·艺文志》云："孔子纯取周《诗》，上采殷，下取鲁，凡三百篇。遭秦火而全者，以其讽诵，不独在竹帛故也。"此可见未删时之诗之众，及秦火后诗之丧失甚少也。学者或不信孔子删《诗》之说，以谓孔子删去之诗，不应若是之多；孔子删《诗》之说，始于史迁之臆说，原不足以为典要云云。今考《墨子·公孟篇》有《诵诗》三百、《弦诗》三百、《歌诗》三百、《舞诗》三百之语，则古诗之多，已可概见；孔子删取之

严,亦可知矣。今以《墨子》引《诗》之文,略论如下:

《亲士篇》:"其直如矢,其平如砥。"

此虽无明称《诗》云之文,然与《诗·小雅·大东》"周道如砥,其直如矢"之文略同。盖本于《诗》文,而其意则与《诗》异。《韩诗外传》云"周道如砥,其直如矢,言其易也",此《诗》之义也。而墨子言此,则继之曰"不足以覆万物",则谓其太平直不能容物也。

《所染篇》:"《诗》曰:必择所堪,必谨所堪。"

此盖逸《诗》之文也。王闿运云:"盖诗说无与十媲,有此二语。"然则以诗说为诗,盖即汉儒引经说为经之例也。湛,毕沅云:"当读为媲。"王念孙云:"媲训乐,与染义无涉。堪当为湛,湛与渐渍之渐同。"今按媲、湛、堪,均从甚声。《说文》,甚从甘;匹,耦也。盖谓必慎其所友也。

《尚贤下篇》:"文王举闳夭、泰颠于置罔之中,授之政,西土服。"

此盖《诗·国风·兔罝》之旧说,实足与古序相发明也。

《尚贤中篇》:"《诗》曰:告女忧卹,诲女予爵。孰能执热,鲜不用濯。"

此即《诗·大雅·桑柔》之文。"爵"原作"郁",据卢校改。"女",《毛诗》作"尔";"卹"作"恤","予"作"序","孰"作"谁","鲜"作"逝","用"作"以",皆音义相近。墨子以"逝"为"鲜",经义尤明。由是可悟《国风·杕杜》云:"彼君子兮,噬肯适我!中心好之,曷饮食之!""噬"通"逝",则"噬肯适我",谓鲜肯适我,故下文云"中心好之,曷饮食之"也。此"噬"之古义,胜于《毛传》训逮远矣。墨子引之而继之曰:"则此语古者国君诸侯之不可以不善承嗣辅佐也。譬之犹执热之有濯也,将休其手焉。"盖以执热必用濯,喻治国必用贤,以明尚贤之义也。

《尚贤中篇》:"《周颂》道之曰:圣人之德,若天之高,若地之普,其有昭于天下也。若地之固,若山之承,不坼不崩。若日之光,若月之明,与天地同常。"

此或逸《诗》之文，或本为说《诗》之言。由后之说，则亦以经说为经之例也。俞樾云："此文疑有错误，当云：'圣人之德，昭于天下；若天之高，若地之普；若山之承，不坏不崩；若日之光，若月之明，与天地同常。'盖首四句'下''普'隔句为韵；中二句'承''崩'，末三句'光''明''常'，皆每句协韵；'昭于天下'句，传写者脱去而误补于'若地之普'下，则首二句无韵矣；又增'其''有''也'三虚字，则非颂体也。"按俞说非是。此文实无误。每三句一段。首段"高"字不韵，"普""下"为韵，"也"字助词不入韵；第二段"固"字不韵，"承""崩"为韵；第三段则"光""明""常"韵。"若天之高，若地之普"，言其德之高大，故曰"昭于天下"。"若地之固，若山之承"，言其德之坚固，故曰"不坏不崩"。"若日之光，若月之明"，言其德之光明之久，故曰"与天地同常"。此引《周颂》，或疑即本《诗·小雅·周颂》之文而演之者。古经说用韵，犹《易十翼》之用韵者矣。王闿运云："此《天保》诗说也，以雅为颂。"

《尚同中篇》："是以先王之书，《周颂》之道之曰：载来见彼王，聿求厥章。"

此引《诗·周颂·载见篇》之文也。《诗》云：

载见辟王，曰求厥章。

毕沅云："墨子一本作载见辟王，同《诗》。案一本疑后人据诗而改。墨子引《诗》，不必与《经》同也。'聿'与'曰'同。《载见》序云：诸侯始见乎武王庙也。墨子引此，继之曰：'则此语古者国君诸侯之以春秋来朝聘天子之廷，受天子之严教；退而治国，政之所加，莫敢不宾。当此时，本无有纷天子之教者。'陈奂云：'墨子释《诗》，章读旧章，此古说也。'按墨子盖以章为天子之严教，天下所当共守以尚同者也。"

《尚同中篇》："《诗》曰：我马维骆，六辔沃若。载驰载驱，周爰咨度。又曰：我马维骐，六辔若丝。载驰载驱，周爰咨谋。"

此引《诗·小雅·皇皇者华》第四章与第三章之文也。文与《经》悉同。《序》云："《皇皇者华》，君遣使臣也。送之以礼乐，言远而有光华也。"墨子引此，而继之曰：即此语原"语"下有"也"字，据王念孙校删。古者国君诸侯之闻见善与不善也，皆驰驱以告天子。是以赏当贤，罚当暴，不杀不辜，不失有罪，则此尚同之功也。则此《诗》之古义，盖为遣使臣以告善于天子，足以补序之不逮也。

《兼爱下篇》："周《诗》曰：王道荡荡，不偏不党。王道平平，不党不偏。其直若矢，其易若底。君子之所履，小人之所视。"

此文上四句，见《尚书·洪范篇》；下四句，即《诗·小雅·大东篇》之文也。苏时学云："《洪范篇》四'不'作'无'。兹称周《诗》，或有据。《诗·大东篇》作'周道如砥，其直如矢'，无两'之'字。按古周《诗》必有袭用箕子《洪范》之文者，而孔子已删之矣。墨子引此而继之曰：'古者文武为正，均分赏贤罚暴。勿有亲戚弟兄之所阿，即此文武兼也。'"盖墨子引此，以无所偏私为兼爱之义也。

《兼爱下篇》："先王之书，《大雅》之所道曰：无言而不雠，无德而不报。投我以桃，报之以李。"

此引《诗·大雅·抑篇》之文也。前二句第六章之文，后二句第八章之文。《诗》于"无言不雠，无德不报"下，继之曰"惠于朋友,庶民小子,子孙绳绳,万民靡不承"。马其昶释之云:"此言长民者,惠爱及于朋友,及于庶民,并及其小子,小子庶民之子也。施德如此,则其子孙绳绳,万民无不承奉之矣。《大学》云:'以能保我子孙黎民,尚亦有利哉!'无德不报之说也。"盖《诗》言爱民者则民爱之,而墨子引此继之曰:"即此言爱人者必见爱也,而恶人者必见恶也。"其旨正相同。惟《抑诗》为卫武公刺厉王,故就君民者立言;而墨子引此,在劝人之兼爱,故就常人而言之。斯其异耳。

《非攻中篇》:"《诗》曰:鱼水不务,陆将何及乎?"

苏时学云:"此盖逸《诗》。"王念孙云:"陆将何及乎,不类诗词。'乎'字盖浅人所加。"按"乎"字篆文作"芓","兮"字篆文作"丂","乎"盖"兮"字形近之讹。

《天志中篇》:"《皇矣》道之曰:帝谓文王:予怀明德,不大声以色,不长夏以革;不识不知,顺帝之则。"

此《诗·大雅·皇矣》篇文也。下篇亦引之。

《天志下篇》:"于先王之书,《大夏》之道之然。帝谓文王:予怀明德,毋大声以色,毋长夏以革;不识不知,顺帝之则。"

下篇所引,惟两不字作毋,其余均同。俞樾云:"声、色二字平列。'不大声以色',谓不大声与色也。长之言常也;夏之言假也;革之言急也;急与宽假义正相反。宽以济猛,猛以济宽,故不常夏以革也。"按墨子引此而继之曰:"帝善其顺法则也,故举殷以赏之;使贵为天子,富有天下,名誉至今不息。"墨子盖以此为天能赏贤,以明天之有意志也。其所谓大夏者,俞樾云:"大夏,即《大雅》也。雅、夏古字通。《荀子·荣辱篇》曰:'越人安越,楚人安楚,君子安雅。'《儒效篇》:'居楚而楚,居越而越,居夏而夏。'是夏与雅通也。"按"大雅"古作"大疋。"夏"之古文作𩇕,从疋声。新出土《石经》"夏"字作𣊫,从日,疋声。此大雅所以或作大夏也。

《明鬼下篇》:"《周书·大雅》有之。《大雅》曰:文王在上,于昭于天。周虽旧邦,其命维新。

> 有周不显,帝命不时。文王陟降,在帝左右。穆穆文王,令闻不已。"

此《诗·大雅·文王篇》之文也。周《诗》而曰《周书》者,孙诒让云:"古者诗、书多互称。"盖二字本双声故也。"穆穆"诗作"亹亹"。墨子引此而继之曰:"若鬼神无有,则文王既死,彼岂能在帝之左右哉?"墨子盖以文王虽死而为鬼,故能在帝左右,以明鬼之为有也。

以上所引《墨子书》中之《诗》说,盖大略尽于此矣。由墨子之书考之,可知孔子删后之《诗》,其次序亦有不同于旧本,故或以《雅》为《颂》也。

四 《礼》

《艺文志》云:"墨家者流,盖出于清庙之守。"按《说文》"示"部云:"礼,履也;从示,豊声;古文作秛。"柱按古文秛盖象人祭于神前之形。礼之起原,盖起于祭祀矣。墨家出于清庙之守,则墨家之原于礼可知。又《说文》"示"下云:"天垂象,见吉凶,所以示人也;从二,三垂,日月星也。观乎天文,以察时变;示,神事也。"礼起于示,故字从示。墨子尊天明鬼,则墨学与礼之关系,岂不明甚。《艺文志》云:"帝王质文,世有损益;至周曲为之防,事为之制。"则周礼之繁于夏殷可知。孔子曰："周监于二代，郁郁乎文哉！吾从周。"而《淮南子》则言"墨子背周道，用夏政"。此墨子之礼学，所由与儒者异也。礼固起于祭祀，而其极则一切人事制度均括焉。千端万绪，不可悉论，聊举一二，以见梗概云尔。

《七患篇》："五谷尽收，则五味尽御于主；不尽收，则不尽御。一谷不收谓之馑，二谷不收谓之旱，俞云疑"旱"乃"罕"字之误。三谷不收谓之凶，四谷不收谓之馈，邵晋涵云："馈"与"匮"通。五谷不收谓之饥。岁馑则仕者大夫以下，王闿运说"下"当作"上"，是也。皆损禄五分之一，旱则损五分之二，凶则损五分之三，馈则损五分之四，饥则尽无禄，禀食而已矣。故凶饥存乎国，人君彻鼎食五分之五，孙云：疑当五分之三。大夫彻县，士不入学，君朝之衣不革制，诸侯之客、四邻之使雍食而不盛，彻骖騑，涂不芸，马不食粟，婢妾不衣帛；此告不足之至也。"

此饥荒之礼也。

《节葬篇》："故古圣王制为葬埋之法，曰：棺三寸，足以朽体；衣衾三领，足以覆恶；以及其葬也，下毋及泉，上毋通臭；垄若参耕之亩；则止矣。死者既已葬矣，生者必无久哭，而疾而从事。人为其所能，以交相利也。"

此墨子所述古丧葬之礼也。《节葬篇》与《非儒篇》，关系于儒墨两家丧礼者甚众，兹从略焉。

《明鬼篇》："昔者虞夏商周三代之圣王，其始建国营都，必择国之正坛，置以为宗庙；必择木之修茂者，立以为菆位；必择国之父兄慈孝贞良者，立以为祝宗；必择六畜之胜肥倅毛，以为牺牲；珪璧琮璜，称财为度；必择五谷之芳黄，以为酒醴粢盛，故酒醴粢盛与岁上下也。故圣王治天下也，故必先鬼神而后人者此也。故曰：官府选效必先祭器，祭服毕藏于府，祝宗有司毕立于庙，不与昔聚群。"

此墨子所述之祭礼也。由此观之，则墨学之出于礼也明甚。然惟其主于节俭，持之太过，遂致失礼之中。故《艺文志》云："蔽者为之，见俭之利，因以非礼。"

五 《乐》

墨子以节俭之故，而目睹当时之淫乐，故激而为非乐，作《三辩》《非乐》等篇。然其答程繁之言云：

> 昔者，尧舜有茅茨者，且以礼，且以乐。汤放桀于大水，环天下自立以为王，事成功立，无大后患，因先王之乐，又自作乐，命曰《護》，又修《九招》。武王胜殷杀纣，环天下自立以为王，事成功立，无大后患，因先王之乐，又自作乐，命曰《象》。周成王因先王之乐，又自作乐，命曰《驺虞》。周成王之治天下也，不若武王；武王之治天下也，不若成汤；成汤之治天下也，不若尧舜。故其乐逾繁者，其治逾寡。自此观之，乐非所以治天下也。《三辩篇》文。

此墨子所引关于乐者也。然既引圣王之作乐，而又以乐少而非乐，则墨子之非乐，其不能自完其说也审矣。《易》曰："苦节不可贞。"其墨学之谓乎？

六 《春秋》

墨子所学，自非孔子之《春秋》。然其所称述，亦治《春秋》者所不可不知者也。

《明鬼下篇》：

> 周宣王杀其臣杜伯而不辜。杜伯曰："吾君杀我而不辜，若以死者为无知则止矣；若死而有知，不出三年，必使吾君知之。"其三年，周宣王合诸侯而

田于圃田,车数百乘,从数千人,满野。日中,杜伯乘白车,素车,朱衣冠,执朱弓,挟朱矢;追周宣王射之车上,中心,折脊,殪车中。当是时,周人从者莫不见,远者莫不闻,著在周之《春秋》。

昔者郑穆公,孙诒让云:此当为秦穆公之讹。当昼日中处乎庙,有神入门而左,鸟身,素服三绝,面状正方。郑穆公见之,乃恐惧犇。神曰:"无惧,帝享女明德,使予锡女寿十年有九;使若国家蕃昌,子孙毋失。"郑孙云:亦当为秦。柱按:或以郑属上为句。穆公再拜稽首曰:"敢问神名?"曰:"余为句芒。"

昔者,燕简公杀其臣庄子仪而不辜。庄子仪曰:"吾君王杀我而不辜,死人毋知亦已;死人有知,不出三年,必使吾君知之。"期年,燕将驰祖。燕之有祖,当齐之社稷、宋之桑林、楚之有云梦也,此男女之所属而观也。日中,燕简公将驰于祖涂。庄子仪荷朱杖而击之,殪之车上。当是时,燕人从者莫不见,远者莫不闻,著在燕之《春秋》。

昔者,宋文君鲍之时,有臣曰祏观辜,固尝从事于厉。祩子杖揖出与言曰:"观辜!是何珪璧之不满?度量酒醴粢盛之不净洁也?牺牲之不全肥,春秋冬夏选失时,岂女为之与?意鲍为与?"观辜曰:"鲍幼弱,在荷襁之中,鲍何与识焉?官臣观辜特为之。"祩子举揖而槁之，殪之坛上。当是时，宋人从者莫不见，远者莫不闻，著在宋之《春秋》。

昔者齐庄君之臣，有所谓王里国、中里徼者。此二子者，讼三年而狱不断。齐君由谦杀之，恐不辜；由谦释之，毕沅云："由与犹同故两作"。王念孙云："由犹皆欲也，谦与兼同，言欲兼杀之，兼释之也。"恐失有罪。乃使之人共一羊，盟齐之神社。二子许诺。于是泏洫，孙诒让云：当作衉血。㓨羊而漉其血。读王里国之辞既已终矣；读中里徼之辞未半也，羊起而触之，折其脚，祧神之，毕云疑当云跳神之社。而槁之，殪之盟所。当是时，齐人从者莫不见，远者莫不闻，著在齐之《春秋》。

以上所引，郑穆公之事无"著在郑之《春秋》"之云，然下文云"若以郑穆公之所身见为仪，则鬼神之有岂可疑哉？非惟若书之说为然也"云云。所谓若书，当即指郑之《春秋》而言。以上下文例之，此段盖挩当是时，郑人从者莫不见，远者莫不闻，著在郑之《春秋》云云矣。

由墨子之说，则吾人之于《春秋》，可知者三事。

一，《春秋》乃历史之通名，非一书之专名。故周郑燕宋齐之史皆名《春秋》，非惟《鲁史》名《春秋》而已。

《孟子》曰："晋之《乘》、楚之《梼杌》、鲁之《春秋》，一也。"学者遂以《春秋》为《鲁史》之专名，非是。班氏《艺文志》云："左史记言，右史记事；事为《春秋》，言为《尚书》。"以《春秋》为史之通名，其说得之。自孔子修《春秋》，经秦火之后，而孔子之《春秋》独传，余皆散灭。故《春秋》遂为孔子《春秋》之专名。犹《史记》本为《古史》之通名，而后世以为《太史公书》之专名也。

二，鲁《春秋》之体裁。鲁《春秋》之文，今不可得复见矣。惟公羊庄七年《传》云："不修《春秋》曰：'雨星不及地尺而复。'君子修之曰：'星陨如雨。'"所可知者，惟此所引寥寥数字而已。然以墨子所述周郑燕宋齐之《春秋》观之，则鲁之《春秋》当亦大略相似。左丘明为孔子《春秋》作《传》，实多本《鲁史》，则鲁《春秋》之体裁，盖略可知矣。然则古之所谓《春秋》者，其所载言与事并；所谓"事为《春秋》，言为《尚书》"，盖非一定之论矣。

三，孔子修《春秋》，力除神怪。孔子修《春秋》，其微言大义，三《传》详之矣。然以墨子所述周郑燕宋齐诸国之《春秋》考之，其所载神怪之事甚详，左氏《传》所载亦多有类此者，则鲁《春秋》之文，当亦大略相同。然今观孔子之《春秋》，乃绝无此等神怪之事，惟详记灾异耳。然如公羊所《传》，亦不过记其为灾为异；或为注重民生而书，或为研究学问而书，详见拙著《公羊微言大义匡何篇》。如是而已，则孔子之修《春秋》，其削神怪，祛迷信，岂非彰明较著者乎？而世有援神话以释《经》者，名为尊孔，实则诬孔而已矣。

统观以上所引，则墨子之学，其关系于《经》，岂浅鲜也哉？夫孔子之学，本于《六经》；而墨子所出，亦大抵相同。然墨子所引以《尚书》为最多，而《易》则无之，惟文句有一二略同者而已。至于《礼》，虽时或称道之，而以非乐之故，亦时连类非之。《公孟篇》墨子驳公孟子曰："国治则为礼乐，乱则治之。是譬犹噎而穿井也，死而求医也。"孔子则不然，《六经》均经手定，然于《易》独作《十翼》，则墨子之所最略者，乃孔子之所最详也。孔子最重礼乐，曰："为国以礼。"在齐闻《韶》，三月不知肉味，曰："不图为乐之至于斯。"则墨子之所深恶，乃孔子之所深好者也。盖当论之，墨子之学，其根本偏重于《尚书》，《尚书》称天以治者独多，如《皋陶谟》之天叙、天秩、天命、天讨之类，固无论矣；即《甘誓》《汤誓》《盘庚》诸篇，亦莫不言天罚、天命也。故墨子本之，以天为有意志，故尊天明鬼。孔子之学，其根本最重乎《易》。《易》虽言天地鬼神，然不过以为自然之变。故曰："先天而天弗违，后天而奉天时；天且弗违，而况于人乎？况于鬼神乎？"故孔子虽言天，亦唯曰"天生德于予""天何言哉"；虽言鬼神，亦唯曰"敬鬼神而远之"。盖不以天为有意志，与墨子之作《天志》《明鬼》，其旨大异也。盖墨子近于宗教家，而孔子则近于哲学家。墨子主有神论，而孔子则主无神论。故墨子引诸国《春秋》以明鬼，而孔子修《春秋》以削鬼，此其大别也。然礼之起，起于敬天事鬼，以孔墨之学之所从出者观之，墨子既尊天明鬼，必当独重于礼；而孔子则否，其视礼似当不若斯之重矣。而其事乃适相反，何哉？盖墨子本于天志，以为天之生人也爱无不均，故主兼爱无差等；兼爱无差等，则财难给；财难给，故不得不节俭；节俭，故不得不节葬、非乐；节葬、非乐，故不得不非礼。见上所注墨子公孟子之言。故墨子虽以孝视天下，《艺文志》言。而以三年之丧思慕父母为愚。《公孟篇》曰：三年之丧，学吾子之慕父母。子墨子曰：夫婴儿子之知，独慕父母而已，父母不可得也，然号而不止，此其故何也？即愚之至也。然则儒者之知，岂有贤于婴儿子哉？孔子则不然，以为天无意志者也；人之生，天地之自然而已；而我之身则父母之遗体也，故主亲亲；亲亲故爱有差等，有隆杀；有差等，有隆杀，故财易给而为礼乐也易；亲亲故孝于其亲而慎终追远。故孔子虽言"未能事人，焉能事鬼；未知生，焉知死"，固主无神论矣；而又言"鬼神之为德，洋洋乎如在其上，如在其左右"，如在云者，盖明知其无而假设为有之辞，所以永人之思慕，而礼乐之所以独重也。及后世为之，儒者以重礼好乐之过，而繁文褥礼，迷信鬼神；墨者以节俭节葬之过，而至于无父之讥，皆失孔墨之本矣。

《墨经》之体例

《墨子》有《经上》《经下》两篇，函义最为奥衍，而文辞亦最为奇古，书写体例亦最为特别，诚国学之瑰宝也。其奇辞奥义，余已别有注释，详于《墨子间诂补正》之中，非兹篇体例，无待重述。兹仅略就其《经》之体例而略论之。《墨经》原本写法，为上下旁行，兹据孙诒让校正本，节录之数行如下：

《经上篇》
故所得而后成也
体分于兼也
知材也
虑求也
知接也
恕"知"同，毕、张杨本并作
恕"，误。明也
仁体爱也
义利也

止以已同。久也
必不已也
平同高也
同长以舌古正字。相尽也
中同长也
厚有所大也

日中舌南也无说。
直参也无说

《经下篇》

止类以行人疑当作之。说在同

所存与当有存字。者于存与孰存

驷疑当作四足。异说张以三字属下列孰存下疑非。推类之难说在疑拟名字。之大小

五行无常胜说在宜

物尽张以二字属前经误。同名二与斗爱食与招白与视丽与依说当有暴字。夫与履《说》作屦。

一偏弃《说》作去。之
谓而固是也说在因

不可偏去而二说在见与俱一与二广与循当作修，张以物尽同名，以下四经合为一误。

无欲恶之为益损疑当作无益损。也说在宜

不能而不害说在害

损而不害说在余

异类不吡吡同。说在量

知"说"作"智"通。而不以五路说在久有误。

此所谓旁行体也，然向来传本则误书为直行。兹照商务书馆景明嘉靖本，节录数行如下：

故所得而后成也，止以久也，体分于兼也，必

不已也，知材也，平同高也，虑求也，同长，以盂相尽也知接也，中同长，以恕明也，厚有所大也，仁体爱也，日中盂南也，义利也，直参也。

《经下篇》

止类以行人说在同，所存与者于存与孰存，驷异说推类之难说在之大小，五行毋常胜说在宜，物尽同名二与斗爱食与招白与视丽与夫与履，一偏弃之谓而固是也说在因，不可偏去而二说在见与俱一与二广与循，无欲恶之为益损也说在宜，不能而不害说在害，损而不害说在余，异类不吡说在量，知而不以五路说在久。

此以前之上下旁行，混写而为直行者也。其余由此类推。其书写之淆乱如此，何怪乎《墨经》之沉薶千古乎？直至清之毕沅、张惠言、孙诒让，始各各考正，略复旁行之旧。盖据《经上》末行，有读此书旁行一语；参之《经说》上下，则旁行之旧迹，仍甚显而易寻也，然亦惟此经之淆乱，以说证经，而后经之旁行可知。吾人今日所以得知古人有此书写之体例者，惟赖有此耳。倘汉人早已深明旁行之例，而依说之次第以直书之，则吾辈乌从而知古人之书有如此之一体邪？老子有言曰："福兮祸所倚，祸兮福所伏。"若《墨经》之为后人所乱，反得因以保全真面目，斯非福之所伏邪？

自毕、张、孙之后，《墨经》旁行，殆已无人异议。最近有伍非百作《辩经章句非旁行考》，以谓《墨经》之原本为竹简，汉人始写入绢素，乃始作二列旁行。余意适与之相反。盖伍氏既不究夫《经》之所以得名之本，又未深惟夫帛与简迭易之事实也。兹分别论之。

古者书盖有二种。《说文叙》曰："著之竹帛谓之书。"则古有书竹、书帛二种可知。书于帛者为卷，书于竹者为篇。古书盖多书于竹简。然《论语》言"子张书诸绅"。绅者，帛之属也，则盖以其精要而书于帛以便研诵也。孔子之《六艺》非不精要，惟其文繁多。古之时，竹贱而帛贵，故书于简，不书于帛。是以孔子之《六艺》，当时无《经》名。《六经》之名不过后世之尊称耳。在孔子生时，盖不称为经；即孟、荀之书，亦无《易经》《书经》《诗经》之目也。惟墨子之《经》则不然，言语简约，为墨学根本之要语，故弟子书之于帛。书之于帛而名经者，《说文·系部》云："经织从丝也。从糸，巠声。"古之书帛，盖如今之横轴然，可以随意舒卷；其卷也循经而卷，故后世又称经卷；此经所以得名之原也。

惟然，故经之为体，止以简要而能书于帛者得名焉。简而不要，固不必书帛；要而不简，亦不必书帛。即就《墨子》而论，《兼爱》《尚同》《天志》诸篇，为墨学之大旨。然以其非墨学成立方法之要素，且语言繁多，故止记于简，而不录于帛，故亦不称经也。《管子》之"经言"，《韩非》"外储之经"皆以简要，故至屈原之"离骚经"，乃后人所追称，非其本也。

是故，惟《墨经》之简要而后书帛称经；亦惟墨经之简要，而后为旁行书之体。何者？古人称诗为章，如诗称某章某句之类是也；又称为首，如古诗十九首之类是也。首，《说文》云："头也。"章，《说文》云："乐竟为一章。"盖每章之终，即次以次首之始，必提行更首，故或称章或称首也。散文之称篇章章句，义亦应尔。《墨经》以每立一义为一章，固与他书之称章同；但其文甚简，书之于帛，多不能及每行之半；书帛之意，本取简便；故书为上下二列。此《墨经》所以独旁行，而他书则否；而书《墨经》者所以必当有"读此书旁行"之声明也。

或又谓伍氏以谓《墨经》成书之世，通行大篆，体极繁重，其字大率径寸。郑康成谓"《经》长二尺四寸，《传》八寸，《孝经》长十四寸。"《墨经》本传记之类，当在八寸、十二寸之间。以径寸之大篆，写十二寸之竹简，无两列之余地；倘伍氏之说而确，更安有两列之余地可能；是益足证《墨经》原本之非旁行矣。是亦不然。当时虽有大篆，墨子尚质无文，背周法夏，其书断无用大篆繁文之理。今其书尚多存省去偏旁之古假借字，如以"可"为"何"，见于《非攻上》；以"其"为"期"，见于《节葬下》；是方求简之不足，奚暇用大篆之繁文哉？又以近世出土之《殷虚》甲文推之，甲文用刀笔，其字体大小略如今之三四号字；则《墨经》书于帛，岂不能为二列邪？惟至汉而后与《墨子》他篇同书竹简，其时墨学失传，不明旁行之例；且简长而繁重，若仍为二列书之，先读上列，次读下列，为事未免太繁；故遂直书之，而上下错乱如此也。若《墨经》原本果为先书于简，则简册之编，以丝为纬；故册字篆作 ⿻, 横二书象丝，纵五画象简；则简之编名为纬，乃其宜耳，何名为经哉？且经与他篇，同书于简，经则俱经耳，何以此独经而彼则否邪？又康成云："《经》长二尺四寸，《传》八寸，《孝经》长十二寸。"倘此说而可信为秦汉以前之通例，则墨者之徒，既经其师之说，当亦为二尺四寸；不当以儒者之见，谓其不过《孝经》之类也；然则以三四号之小字，书二尺四寸之长简；以数字或数十字之短章，章必别行；是以最简要之文，最宜便于研究之书，而书成如此之繁重，古人虽拙，必不尔也。然则《墨经》原本,倘为竹简,每篇旁行,当可二三列,岂可谓无二列之余地哉?

然则《墨经》原本无论书简书帛,均有书为二列之可能;而以《经》名推论之,则知其为先帛后简耳。

墨子之教育主旨

《墨子·所染篇》云：

> 子墨子言：见染丝者而叹曰："染于苍则苍，染于黄则黄。所入者变，其色亦变；五入必而已，则为五色矣！故染不可不慎也。"

此节下文即推言国亦有染、士亦有染，与《吕氏春秋》文略同。或谓此本吕氏所推说，非墨子之本文。汪中、吴汝纶说同。然此今姑弗具论，特墨子见染丝而叹，则必为事实。其寓意盖谓人之善恶由乎师友之习染，盖亦注意教育之论矣。

墨子之于教育，其对于受教者甚不主张盲从。故《法仪篇》云：

> 当皆法其父母，奚若？天下之为父母者众，而仁者寡；若皆法其父母，此法不仁也；法不仁，不可以

为法。当皆法其学，奚若？天下之为学者众，而仁者寡；若皆法其学，此法不仁也；法不仁，不可以为法。当皆法其君，奚若？天下之为君者众，而仁者寡；若皆法其君，此法不仁也；法不仁，不可以为法。

此言虽非专为教育而发，然可见墨子之于受教者，对于家庭教育、学校教育、国家教育，均有仁不仁之辩，而无绝对服从之必要矣。而《荀子·致士篇》则云：

师术有四，而博习不与焉。尊严而惮，可以为师；耆艾而信，可以为师；诵说而不陵不犯，可以为师；知微而论，可以为师。

《礼论篇》又云：

礼有三本：天地者，生之本也；先祖者，类之本也；君师者，治之本也。无天地，恶生？无先祖，恶出？无君师，恶治？三者偏亡，焉无安人。故礼，上事天，下事地，尊先祖而隆君师，是礼之三本也。

荀子之言如此，盖主张绝对服从者。此亦儒墨之所由大异也。然墨子之教人，亦力持干涉主义。《耕柱篇》云：

> 子墨子怒耕柱子。耕柱子曰："我毋俞于人乎？"子墨子曰："我将上太行，驾骥与羊，子将谁驱？"耕柱子曰："将驱骥也。"子墨子曰："何故驱骥也？"耕柱子曰："骥足以责。"子墨子曰："我亦以子为足以责。"

则其督责教者之严，已可概见。证以《尚同中篇》所谓"上之所是，亦必是之；上之所非，亦必非之"，则其干涉之精神，益可知矣。盖其主张绝对干涉，故其终也，虽与前说仁不仁之辩有矛盾，亦不自知矣。

然墨子之人格极高，其为孔、老所不及者有二：

一曰：兼爱精神。

二曰：牺牲精神。

> 《孟子·告子篇》云："墨子兼爱，摩顶放踵，利天下为之。"陈澧云："墨子之学，以死为能。摩，犹糜也。糜，烂也。糜烂而死之谓也。"
>
> 《荀子·富国篇》云："墨子之言，昭昭然为天下忧不足。"

此孟荀攻击墨子之言也。然墨子兼爱与牺牲之精神，可谓形容毕尽矣。《吕氏春秋·爱类篇》云：

> 公输般为云梯，欲以攻宋。墨子闻之，自鲁往，裂裳裹足，日夜不休，十日十夜而至于郢。

则其牺牲一己以爱人，可谓勇矣。老子《道德经》第六十七章云：

> 慈故能勇。

《韩非子·解老篇》释之云：

> 圣人之于万事也，尽如慈母之为弱子虑也，故见必行之道；见必行之道，则其从事亦不疑，不疑之谓勇；不疑生于慈，故曰慈故能勇。

然则墨子其有得于老子之慈者乎？韩非其有见于墨子之勇者乎？不然，非之智盖不足以语此。然老子虽能言此，而老子之行事类此者却未之见也。至儒家则虽说泛爱，而行尚中庸，下者且以哗世取宠，不足语于牺牲也。

墨子之人格既如此，故其教育主义亦不外此二者。今其书各篇上自《亲士》《兼爱》《尚同》诸篇，下至《公输》《备城门》诸作，殆莫非欲贯彻其兼爱与牺牲之精神者也。然约其为教育之旨，尚有六端。兹举之如下：

一曰：贵义。

《贵义篇》：子墨子曰："万事莫贵于义。今谓人曰：'予子冠履，而断子之手足，子为之乎？'必不为。何故？则冠履不若手足之贵也。又曰：'予子天下，而杀子之身，子为之乎？'必不为。何故？则天下不若身之贵也。争一言以相杀，是贵义于其身也。"

墨子之所谓义，盖即含有牺牲自己以兼爱人之意。故墨子本书义字，本皆作羛，从羊从弗。见《说文》。从羊与善字同意，兼爱之谊也。去我从弗，有排除为我主义，而以绳墨自矫，以备世患之意。《庄子·天下篇》语，弗，古文拂字，即矫拂之谊也。今《墨子》书皆改羛作义，易"从弗"为"从我"，失墨子之本谊，甚矣。

二曰：尚意。

《耕柱篇》：巫马子谓子墨子曰："子兼爱天下，未云利也。我不爱天下，未有贼也。功皆未至，子独何自是而非我哉？"子墨子曰："今有燎者于此，一人奉水将灌之，一人掺火将益之。功皆未至，子将何贵于二人？"巫马子曰："我是彼奉水者之意，而非夫掺火者之意。"子墨子曰:"吾亦是吾意而非子之意也。"

此则凡事皆求其是,成败利钝,皆所不顾。董仲舒所谓正其谊不谋其利、明其道不计其功者,其勇盖近此。而一尚实利,一尚仁义,则其大异也。
三曰:尚分工。

《耕柱篇》:治徒娱、县子硕问于子墨子曰:"为义孰为大务?"子墨子曰:"譬若筑墙然。能筑者筑,能实壤者实壤,能欣者欣,然后墙成也。为义亦犹是也。能谈辩者谈辩,能说书者说书,能从事者从事,然后义事成也。"

然则事无大小,凡能尽己力以益于人者,均在所当为,而无贵贱之分矣,反是而较其大小,计其价值而后为之,则天下之公益事可为之者少矣。
四曰:尚独行。

《贵义篇》:子墨子自鲁即齐,过故人。谓子墨子曰:"今天下莫为义,子独自苦而为义,不若已。"子墨子曰:"今有人于此,有子十人,一人耕而九人处，则耕者不可以不益急矣。何故？则食者众而耕者寡也。今天下莫为义，则子如劝我者也。"王念孙云：如字古或训为宜。

此其特立独行之志，为何如邪？
五曰：尚实行。

《耕柱篇》：子墨子曰："世俗之君子，贫而谓之富则怒，无义而谓之有义则喜，岂不悖哉？"

此则循名责实，不特察人用人当如此，自处亦当如此，不容有毫厘之文饰者矣。
六曰：尚创作。

《非儒篇》：儒者曰："君子必服古言，然后仁。"应之曰："所谓古之言服者，皆尝新矣；而古人言之服之，则非君子也。然则必服非君子之服、言非君子之言，而后仁乎？"又曰："君子循而不作。"应之曰："古者羿作弓，伃作甲，奚仲作车，巧垂作舟。然则今之鲍函车匠，皆君子也；而羿、伃、奚仲、巧垂，皆小人邪？且其所循，人必或作之；然则其所循，皆小人道也。"

此可见墨家创作之精神矣。

唯其如上六者所说,故其教育遂能收其大效。

《备梯篇》:禽滑釐事子墨子三年,手足胼胝,面目黧黑,役身给使,不敢问欲。子墨子甚哀之。

《吕氏春秋·尚德篇》:孟胜为墨者巨子,善荆之阳城君。阳城君令守于国,毁璜以为符,约曰:"符合听之。"荆王薨,群臣攻吴起兵于丧所,阳城君与焉。荆罪之,阳城君走,荆收其国。孟胜曰:"受人之国,与之有符。今不见符而力不能禁,不能死,不可。"其弟子徐弱谏孟胜曰:"死而有益阳城君,死之可矣。无益也,而绝墨者于世,不可。"孟胜曰:"不然,吾于阳城君也,非师,则友也;非友,则臣也。不死,自今以来,求严师必不于墨者矣;求贤友必不于墨者矣;求良臣必不于墨者矣。死之所以行墨者之义,而继其业者也。我将属巨子于宋之田襄子。田襄子,贤者也,何患墨者之绝世也?"徐弱曰:"若夫子之言,弱请先死以除路。"还殁头前于孟胜,因使二人传巨子于田襄子。孟胜死,弟子死之者百八十三人。以致令于田襄子,欲反死孟胜于荆,田襄子止之曰:"孟子已传巨子于我矣。"不听,遂反死之。

《吕氏春秋·去私篇》：腹䵍为墨者巨子，居秦，其子杀人。秦惠王曰："先生之年长矣，非有它子也，寡人已令吏弗诛矣。先生之以此听寡人也。"腹䵍对曰："墨者之法，杀人者死，伤人者刑，此所以禁杀伤人也。夫禁杀伤人者，天下之大义也。王虽为之赐，而令吏弗诛，腹䵍不可不行墨者之法。"不许惠王而遂杀之。

《淮南子·泰族训》：墨子服役百八十人，皆可使赴火蹈刃，不旋踵，化之所致也。

凡此皆可见墨子教育力量之伟大。夫死者，人之所至难，而墨子之徒乃乐为之如此。墨子非有特殊感化力，曷足致此？观其百舍重茧以往救宋，预知公输般之欲杀己，而犹亲往焉。见《公输篇》。则其视死如归，墨子盖身自行之，故弟子亦相率而效之也。至其木鸢车辖之巧，见《韩非子·外储说左上》。九攻九却之术，乃其技之小者矣。

虽然，墨子之教，虽能化于少数之弟子；而为之太过，决不能久。故《庄子·天下篇》云：

其道大觳，使人忧，使人悲。其行难为也。恐其不可以为圣人之法，反天下之心，天下不堪。墨子虽独能任，奈天下何？离于天下，其去王也远矣。

然则《孟子》所谓"天下不之杨则之墨",《吕氏春秋》所谓"孔墨徒属弥众,弟子弥丰,充满天下"者,其说非邪?曰:此盖似是而非之墨,犹战国末似是而非之儒耳。不然,则真墨之众充满六国,本墨子止楚伐宋之志以救六国,行禽滑釐等守宋之事以守六国,抱孟胜必死之心以忠六国;秦兵虽强,岂能灭六国如折枯摧朽之易哉?老子曰:"强梁者不可以为教父。"岂非墨子之谓欤?

墨子之政治学说

墨子之主义，在乎兼爱。故其政治之目的，亦不过欲实行兼爱而已。墨子于此，殆分消极、积极两种。今先就积极方面说：

一，尚贤。

二，尚同。

墨子欲兼爱，势不能不尚同。尚同者，欲天下之人同立于一法仪之下，而绝无彼此之见殊；故可以交相利而不至于交相害者也。《尚同上篇》云：

> 子墨子曰：古者民始生未有刑政之时，盖其语人异义，是以一人则一义，二人则二义，十人则十义；其人兹众，其所谓义者亦兹众；是以人是其义，以非人之义，故交相非也。是以内者父子兄弟作怨恶，离散不能相和合；天下之百姓，皆以水火毒药相亏害，至有余力不能相劳，腐朽余财不以相分，隐匿良道不以相教；天下之乱，若禽兽然。

此言天下之乱，由于主义之众多，彼此不相容，故必当有以统一之，而后天下之乱可止。《尚同中篇》云：

> 天子为发政施教曰："凡闻见善者必以告其上，闻见不善者亦必以告其上；上之所是，必亦是之；上之所非，必亦非之；己有善傍荐之，上有过规谏之；尚同义其上，<small>孙诒让云义当作乎。</small>而毋有下比之心，上得则赏之，万民闻则誉之。意若闻见善不以告其上，闻见不善亦不以告其上；上之所是不能是，上之所非不能非；己有善不能傍荐之，上有过不能规谏之；下比而非其上者，上得则诛罚之，万民闻则非毁之。"故古者圣王之为刑政赏誉也，甚明察以审信。是以举天下之人皆欲得上之赏誉，而畏上之毁罚。

此墨子尚同之义，简括言之，凡下民皆当上同乎君上。上有过虽可规谏，然墨子之意，其所谓君上者殆必为贤而无过者。故下文接云：

> 故里长顺天子政而一同其里之义。里长既同其里之义，率其里之万民以尚同乎乡长，曰："凡里之万民皆尚同乎乡长，而不敢下比；乡长之所是，必亦是之；乡长之所非，必亦非之；去而不善言，学乡

长之善言；去而不善行，学乡长之善行。"乡长固乡之贤者也，举乡人以法乡长，夫乡何说而不治哉？

于是由乡长而国君而天子，其尚同之法均同，凡此皆无"上有过则规谏"之说矣。可见墨子理想之中，必为绝对之贤者矣。于是有尚贤之说。《尚贤上篇》云：

> 子墨子曰："今者王公大人为政于国家者，皆欲国家之富、人民之众、刑政之治；然而不得富而得贫，不得众而得寡，不得治而得乱；则是本失其所欲，得其所恶，是其故何也？"子墨子言曰："是在王公大人为政于国家者，不能以尚贤事能为政也。是故国有贤良之士众，则国家之治厚；贤良之士寡，则国家之治薄。故大人之务，将在于众贤而已。"

至其所谓贤，则以义为标准。故《尚贤上篇》又云：

> 故古者圣王之为政也，言曰："不义不富，不义不贵，不义不亲，不义不近。"

此所谓义即贤也。盖天子选立三公国君，国君选立正长，既须贤者；而王公大人为政于国家，亦当选用国

内贤良之士也。墨子既以在位者必为贤人,故于尚同之事甚为专制。《尚同下篇》云:

> 国君亦为发宪布令于国之众,曰:"若见爱利国者必以告,若见恶贼国者亦必以告。若见爱利国以告者,亦犹爱利国者也;上得且赏之,众闻则誉之。若见恶贼国不以告者,亦犹恶贼国者也;上得且罚之,众闻则非之。是以遍若国之人,皆欲得其长上之赏誉,避其毁罚。是以民见善者言之,见不善者言之。国君得善人而赏之,得暴人而罚之。善人赏而暴人罚,则国必治矣。计若国之所以治者何也?唯能以尚同一义为政故也。"

此所谓爱利恶贼,盖即视其与兼爱主义同否而言。故结曰"尚同一义",是在墨子主义势力范围之内,决不许有他主义发生矣。是故就其善一方面而言之,则可谓政治的统一主义,主义的统一主义。而就其恶一方面观之,则亦可谓政治的专制主义,主义的专制主义也。盖墨子之主义,以天下为单位,以天为标准,以天之意志为意志,而绝不许有个人之自由者也。故《法仪篇》云:

> 天之行广而无私,其施厚而不德,其明久而不

衰。故圣王法之。既以天为法，动作有为，必度于天。天之所欲则为之，天所不欲则止。

然则天下之人皆已丧失其个人欲恶自由之权矣。幸也天之欲恶，终不能告之于人。故墨子复为之说曰：

> 然而天何欲何恶者也？天必欲人之相爱相利而不欲人之相恶相贼也。奚以知天之欲人相爱相利而不欲人之相恶相贼也？以其兼而爱之，兼而利之也。《法仪篇》。

诚使天下之人，皆从墨子之说，则虽似丧失其自由之权，而推己以度人，己不欲人恶贼己，故己亦不恶贼人；己欲人爱利己，故己亦爱利人；如是，则己不侵犯人之自由，而人亦不侵犯己之自由；虽谓之自由，亦何不可？然天下之人，非同一机器所制成之物也；有仁暴之异焉，有贤愚之异焉，有强弱之异焉，焉能一一听命于墨子之说乎？有狡者焉，忽逞其贼人利己之术，将何以治之乎？于是墨子《尚同中篇》复为之说云：

> 夫既尚同乎天子，而未尚同乎天，则天菑犹未止也。故当若大降寒热不节，雪霜雨露不时，五谷

不熟,六畜不遂,疾菑戾疫飘风苦雨荐臻而至者,此天之降罚也;将以罚下人之不尚同乎天者也。

夫不爱利而恶贼者,时或一人而已。而天之寒热不节等等,所罚乃不止一人。则狡且暴何所畏焉?且自国君以下,尚可曰各有上之赏罚以治之;若为天子之不仁则又将何如乎?于是墨子《法仪篇》又为之说曰:

> 昔之尧舜禹汤文武兼爱天下之百姓,率以尊天事鬼;其利人多,故天福之;使立为天子,天下诸侯皆宾事之。暴王桀纣幽厉,兼恶天下之百姓,率以诟天侮鬼;其贼人多,故天祸之;使遂失其国家,身死为僇于天下,后世子孙毁之,至今不息。

此其说亦似言之可信。盖贤如尧舜,未有不兴;暴如桀纣,未有不亡;故可托于天志也。然天下之贤者未必遂如尧舜,暴者未必遂如桀纣,则贤未必兴,而暴未必亡,而天之赏罚失矣。于是乎天下之人,乃敢肆为恶贼而无所畏矣。故墨子法天之政治,其结果适以为少数有势力者之利用而已。

乃今之谈墨学者,见《尚同篇》有选天下之贤可者立以为天子之语,见《尚同》上篇、中、下篇语亦略同。遂谓墨

子主张民选天子,梁启超、尹桐阳均有此说。而不知与墨子之旨大谬。《尚贤中篇》云:

> 子墨子曰:"今王公大人之君人民、主社稷、治国家,欲修保而勿失,故不察尚贤为政之本也。"王念孙云:故与胡同。何以知尚贤为政之本也?曰:"自贵且智者为政乎愚且贱者则治,自愚且贱者为政乎贵且智者则乱。是以尚贤为政之本也。"故古者圣王甚尊尚贤而任使能,不党父兄,不偏贵富,不嬖颜色,贤者举而上之,富而贵之,以为官长;不肖者抑而废之,贫而贱之,以为徒役。

是墨子于爱人虽云无差等,而阶级观念则甚深厚,以主张"贵且智者为政则治,愚且贱者为政则乱"之人,焉得有主张民选天子之思想?且里长则国君所选,三公国君则天子所选,见《尚同篇》。国中所用贤良之士,又王公大人所选。《尚贤篇》。凡若此者,墨子皆绝无民选之意,岂有最高之天子,而反委诸民选者乎?然则墨子之意,以谁为选立者乎?亦归之于天而已。观上文所引《法仪篇》所谓"禹汤兼爱,故天福之,使立为天子"之语,益可证矣。盖墨子以一切本于天志,故以选立天子亦为天之志,而假于民以戴之也。

然墨子于阶级之观念虽深,而阶级亦非一定不变者,盖以贤愚为升降之标准。故《尚贤上篇》云:

> 故古者圣王之为政,列德而尚贤。虽在农与工肆之人,有能则举之;高予之爵,重予之禄,任之以事,断予之令,曰:"爵位不高,则民弗敬;蓄禄不厚,则民不信;政令不断,则民不畏:举三者授之贤者,非为贤赐也,欲其事之成。"故当是时,以德就刑,以官服事,以劳殿赏,量功而分禄;故官无常贵,而民无终贱;有能则举之,无能则下之。

则墨子之阶级,亦非一定不变者。唯其所谓举,仍为上之举下,而非下之举上。其云古圣王为政,列德而尚贤,以尚贤归于圣王,盖甚明白矣。然则虽谓墨子之政治,为主张开明专制,亦无不可者矣。

以上就积极而言也。再就消极方面言之,盖亦有二焉。

一曰:非攻。

二曰:节用。

《孟子》曰:"争城以战,杀人盈城;争地以战,杀人盈野。"则春秋之末、战国之世,其战祸之剧,杀人之众可知。此岂非与墨子兼爱之说最相反者乎?故墨子于此最为痛恶，视同盗贼。《天志下篇》云：

> 今知氏大国之君柱按："知"通"之"，"氏"通"时"，详拙著《间诂补正》。宽然者曰："吾处大国而不攻小国，吾何以为大哉？"是以差论蚤牙之士，孙云：蚤，《非攻篇》并作爪。比列其车舟之卒，以攻伐无罪之国，入其沟境，刈其禾稼，斩其树木，残其城郭，以御其沟池，焚烧其祖庙，攘杀其牺牷；民之格者则劲拔之，不格者则系操而归；丈夫以为仆圉胥靡，妇人以为舂酋。则夫好攻伐之君，不知此为不仁义，以告四邻诸侯，曰："吾攻国覆军，杀将若干人矣。"其邻国之君亦不知此为不仁义也，有具其皮币，发其緫处，孙诒让云："緫处"当作"徒遽"。《国语·吴语》云：徒遽来告。韦注云：徒，步也，遽，传车也。使人飨贺焉。则夫好攻伐之君，有重不知此为不仁不义也，有书之竹帛，藏之府库。为人后子者，必且欲顺其先君之行，曰："何不发吾府库，视吾先君之法美？"必不曰"文武为政者若此矣"，曰"吾攻国覆军，杀将若干人矣。"则夫好攻伐之君，不知此为不仁不义也。其邻国之君，不知此为不仁不义也。是以攻伐世世而不已者。此吾所谓大物则不知也。

所谓小物则知之者何？若今有人于此，入人之场园,取人之桃李瓜姜者,上得且罚之,众闻则非之。是何也?曰:不与其劳,获其实,已非其有所取之故。而况有逾于人之墙垣,抯格人之子女者乎?与角人之府库,俞云:角乃穴字之误。窃人之金玉蚤絫者乎?王念孙云:蚤絫当为布粲,粲盖缫之借字。与逾人之栏牢,窃人之牛马者乎?而况有杀一不辜人乎?今王公大人之为政也,自杀一不辜人者,逾人之墙垣、抯格人之子女与角人之府库者,窃人之金石蚤絫者与逾人之栏牢窃人之牛马者,与入人之场园窃人之桃李瓜姜者,今王公大人之加罚此也,虽古之尧舜禹汤文武之为政亦无以异此矣。今天下之诸侯,将犹皆侵凌攻伐兼并,此为杀一不辜人者数千万矣;此为逾人之墙垣、格之子女者,与角人府库、窃人金玉蚤絫者,数千万矣;逾人之栏牢、窃人之牛马者,与入人之场园、窃人之桃李瓜姜者,数千万矣;而自曰义也。故子墨子曰:"是蕡我者,顾千里云:"我"当为"义"。柱按:"蕡"读为"分"。则岂有异是蕡黑白、甘苦之辩者哉!今有人于此,少而示之黑谓之黑,多示之黑谓白;必曰:"吾目乱,不知黑白之别。"今有人于此,能少尝之甘谓甘,多尝谓苦,必曰:"吾口乱,不知其甘苦之味。"今王公大人之为政也,或杀人,其国家禁之;此蚤越戴望云:三字有脱误。有能多杀其邻国之人，因以为文义。王云：文当有大。此岂有异黄黑白、甘苦之别者哉？

此文摹写好攻伐者之心理，可谓毕肖。战胜之功，为攻伐者最荣誉之事，而墨子乃以入人场园窃人桃李，逾人墙垣担格人子女，角人府，窃人金玉等比之，而明其罪恶尚当千万倍于此，可谓痛切之至矣。语曰："窃钩者诛，窃国者侯；侯之门，仁义存。"墨子其有见于此者邪？

虽然，墨子非攻之说，善则善矣，其竟可以实行否邪？周室既衰，封建制度流弊已著。强兼弱，众并寡，已成为战国之风尚。墨子、孟子之徒，虽日为罢兵之运动，其奈当时之军阀何？故卒之亦绝不能收效，而攻战日甚。于是韩非之徒出，受墨子尚同之影响，以为非中央集权不可以言治，非实行武力竞争不足以谋生存。故韩非《显学篇》云：

> 敌国之君王，虽说吾义，吾弗入贡而臣；关内之侯，虽非吾行，吾必使执禽而朝。是故力多则人朝，力寡朝于人。故明君务力。夫严家无悍虏，而慈母有败子：吾以此知威势之可以禁暴，而德厚之不足以止乱也。大圣人之治国，不恃人之为吾善也，

而用其不得为非也。恃人之为吾善也，境内不什数；用人不得为非，一国可使齐。

《五蠹篇》云：

> 上古竞于道德，中世逐于智谋，当今争于气力。

此韩非中央集权、武力竞争之说也，至李斯而加甚。遂专从事于武力统一，夷灭诸侯，以收中央集权之效。是墨子消极之政策未能行，而积极之政策乃大行于秦，以成秦汉以后之一大变局也。

至于节用之主义，实本兼爱而生。盖必其人能节用，而后有牺牲之精神以兼爱人也。然墨子之节用论，却未尝明言此，其持论大抵为君上而说。《辞过篇》云：

> 古之民，未知为衣服时，衣皮带茭，冬则不轻而温，夏则不轻而清。圣王以为不中人之情，故作诲妇人治丝麻捆布绢以为民衣，为衣服之法。冬则练帛之中，足以为轻且暖；夏则绪绤之中，足以为轻且清；谨此则止。故圣人之为衣服，适身体、和肌肤而足矣，非荣耳目而观愚民也。当是之时，坚车良马，不知贵也；刻镂文采，不知喜也；何则？其所道

之然。故民衣食之财，家足以待旱水凶饥者，何也？得其所以自养之情，而不感于外也。是以其民俭而易治，其君用财节而易赡也。府库实满，足以待不然。兵革不顿，士民不劳，足以征不服。故霸王之业可行于天下矣。当今之主，其为衣服则与此异矣：冬则轻暖，夏则轻凊，皆已具矣；必厚作敛于百姓，暴夺民衣食之财以为锦绣文采靡曼之衣，铸金以为钩，珠玉以为佩，女工作文采，男工作刻镂，以为身服；此非云益暖之情也，单财劳力，毕归之于无用也。以此观之，其为衣服非为身体，皆为观好。是以其民淫僻而难治，其君奢侈而难谏也。夫以奢侈之君，御好淫僻之民，欲国无乱，不可得也。君实欲天下之治，而恶其乱，当为衣服不可不节。

其余论宫室饮食舟车等，大意均略同。文多今不备录。《节用》上中二篇，所陈亦大抵不外乎此。墨子以奢侈为致乱之源，节用为救乱之本，可谓切中之极。盖俭则有余，有余则能相让。奢则不足，不足则必出于争，此大夫所以相乱家，诸侯所以相攻国也。乌能兼爱乎？

虽然，墨子之节用，其于一切服用，皆取其便适，而绝不为荣观，其说果可以行否乎？曰：必不能。是何也？曰：凡有生之物，莫不有求美之性。盖宇宙之生物，原于太阳之力。而太阳者,天下之至美者也。故植物之花叶、禽兽之羽毛,莫不各力呈其美。而人类则自利用衣服以后,除须发之外,皆已丧失其天然之美,故必以人力之美继之;此自然之势也。是故或为宫室服用之美,或为言语文字之美,所美不同,而为美则一也。今墨子必以为用而已,凡为荣观者,皆务去之,则是拂逆生物之性者也,其可行乎?吾尝以谓人类之进化,惟赖其有求善求美之性;有求善求美之性,故有艺术,而一切士农工商之业均日进而不已;此泰古之质朴,所以进而为今日之文明也。若墨子之说,殆不容人间有美术之观念;姑勿论其事必不能行,藉令能之,则虽谓今之世犹泰古之世,可也。

然则谓墨子之说,乃大谬特谬可乎?曰:是又不可。墨子谓:"古者节俭,故民得其所养之情,而不感于外。"此语实能道出为治有提倡节用之必要。盖在上者不奢侈,则用于民者少而民用足;不示民以奢侈,则民不逐于奢侈,而用易于足;则民何为而不易治?反是,若在上者务为奢侈,则必多取于民,而民困于赋敛,而用不足矣;又示民以奢侈,则民争相仿效,而用亦益感其不足。如是,则小之必如孟子所谓上下交征利而国危,大之则必酿成今日之阶级战争矣。《老子》第七十五章云:

> 民之饥,以其上食税之多,是以饥;民之难治,以其上之有为,是以难治;民之轻死,以其上求生之厚,是以轻死。

老子所谓求生之厚,谓在上者生活程度之高也。在上之生活程度既高,则食税安得不多乎?且在上者之生活既高,在下者又安得不相随而高乎?既相随而高,而在上者又复多取之,使不得达其谋生之道,又安得天下之不乱乎?吾尝谓今世科学之发明,即本于人类求善求美之性质而来;然继长增高,结果实不免于奢侈。盖机械发明,工厂发达,经济集中,富者累千万,而奢侈相高,于是贫者之生计日感穷蹙。是前有奢侈以诱其心,后有饥寒以促其变;机械之观念既日深,而恩情之观念遂日薄。呜呼!此世界阶级之大战所由起欤?墨子云:"以奢侈之君,遇好淫僻之民,欲国无乱,不可得也。"其有见于此乎?嗟乎!科学者,完成世界阶级之工具者也,而其结果乃酿成世界阶级之大战争,为阶级革命之起因,盖导民于奢侈之过也;是岂科学家所及料者哉?科学者本于人类求善求美之性而已,而结果乃为人类战争之原。《老子》第二章云:

> 天下皆知美之为美,斯恶矣;皆知善之为善,斯不善矣。

斯言岂不信乎？然则去美善则拂性而无进步，求美善则奢侈而起战争。孔子曰："奢则不逊，俭则固。"此中庸之道，所以要欤？又曰："礼，与其奢也宁俭。"必不得乎中庸，则居奢侈之世，提倡墨子之节用，亦息争之道欤？

墨子之文学

　　文学一名，函广、狭二义。自狭义言之，惟韵文乃得有是名。自广义言之，则一切著于文字者皆文学之范围也。墨子法夏尚质，其书亦朴质少文，故今兹命名，当从广义。

　　墨子之文体，可分七类。《亲士》《修身》《所染》《法仪》《七患》《辞过》《三辩》等为一类，盖墨子之言，而墨子之徒附益润饰之者也。《尚贤》《尚同》《兼爱》《非攻》《节用》《节葬》《天志》《明鬼》《非乐》《非命》《非儒》等为一类，盖墨子演说之词，而墨子之徒所随地记录者也。《经》为一类，盖墨子所自著，以授诸其徒者也。《经说》为一类，盖墨子之徒所著以释《经》者也。《大取》《小取》为一类，盖墨子之徒总聚墨学之大旨者也。《耕柱》《贵义》《公孟》《鲁问》《公输》为一类，盖墨子弟子所记墨子言行之实录也。《备城门》《备高临》《备梯》《备水》《备突》《备火》《备蛾傅》《迎敌祠》《旗帜》《号令》《杂守》等为一类，盖墨子之遗法，而其徒记述增益之者也。

是故第一类为论说体;第二类为演讲体;第三类为经体;第四类为传注体;第五类为书序体;第六类为列传体;第七类为杂记体。

诸体之中,论说体文颇华丽;演讲体文最平实;经体传体最奇奥;序体最严整;记体亦简洁。

论说体似古文;演讲体如近日讲义;经传体如科学之定义定理;序体如学说提要。

墨子之文虽质朴少华,然亦往往用韵。如《亲士篇》云:

> 臣下重其爵位而不言,近臣则喑,远臣则唫,怨结于民心。谄谀在侧,善议障塞。

苏时学云:"喑、唫、心为韵,侧、塞为韵。"《亲士篇》又云:

> 今有五锥,此其铦,铦者必先挫;有五刀,此其错,错者先靡。是以甘井近竭,招木近伐,灵龟近灼,神蛇近暴。

毕沅云:"挫、靡为韵,靡字麻声;竭、伐为韵。"《所染篇》云:

染于苍则苍,染于黄则黄。

苍、黄为韵。《七患篇》云:

以七患居国,必无社稷;以七患守城,敌至国倾;七患之所当,国必有殃。

毕沅云:"国、稷为韵,城、倾为韵,当、殃为韵。"《七患篇》又云:

凡五谷者,民之所仰也,君之所以为养也。故民无仰,则君无养;民无食,则不可事。故食不可不务也,地不可不力也,用不可不节也。

毕沅云:"仰、养为韵,食、事为韵,力、节为韵。"凡此皆音韵铿锵、可歌可诵者也。然此犹可谓墨子之徒所增益之文,而非墨子之本言也。《尚贤上篇》云:

故古者尧举舜于服泽之阳,授之政,天下平;禹举益于阴方之中,授之政,九州成;汤举伊尹于庖厨之中,授之政,其谋得;文王举闳夭、泰颠于罝罔之中,授之政,西土服。

苏时学云："成与平为韵，服与得为韵。"《尚贤上篇》又云：

> 名立而功成，美章而恶不生。

成、生为韵。此则墨子演讲之文，而音韵铿锵犹如此，亦可以见墨子之工于文，故其言如此；且犹可以见其记录者，非尽不工于文者矣。又如《太平御览》所引有"天地所包，阴阳所呕，雨露所濡，以生万殊；翡翠玳瑁碧玉珠，文采明朗泽若濡，摩而不玩，久而不渝"等语，文益华丽，盖如四言七言诗矣。然此恐误引《淮南》之文，非墨子所宜有也。

其用字有甚古者，如《所染篇》云：

> 五入必而已，则为五色矣。

此"必"字即"毕尽"之"毕"之古本字。孙诒让谓当读作"毕"。《说文·攴部》之"畢"，乃借"毕"为"必"后起之本字也。用必字之古本义，古书中亦所罕见。详见本书历代墨学述评。兹暂从略焉。又如《天志中篇》云：

雷降雪霜雨露。

此"雷"字用之甚奇。故王念孙以为"义不可通，'雷'盖'霣'字之误，'霣'与'陨'同"，而不知"雷"亦"霣"也，"霣"亦"雷"也。《说文·雨部》，"霣"下云："齐人谓雷为霣，从雨，员声。""雷"本作"靁"，籀文作䨻。《说文》云："䨻间有回，䨻声也。"盖回、员双声，回从重口，口回声同，员从口声，员读如云。故雷霣同字。他书以霣、陨同声，故假霣为陨；则墨子以雷、陨双声，而假雷为陨；其例一也。则此文"雷"字又何误之有？

此外如用"焉"为"乃"，"唯毋"为为发声，亦他书所少见者。如《亲士篇》云：

君必有弗弗之臣，下必有诤诤之下；分议者延延，而支苟原误作支苟。者诤诤，焉可以长生保国。

《兼爱上篇》云：

圣人以事天下为事者也，必知乱之所自起，焉能知之；不知乱之所自起，则不能治。

此等"焉"字,王念孙父子均以下属为句,训为乃字。《尚贤中篇》云:

古者圣王唯毋得贤人而使之。

《尚贤下篇》云:

今唯毋以尚贤为政其国家百姓。

《尚同中篇》云:

上唯毋立而为政国家,为民正长。

书中"唯毋"二字运用甚多,兹不多举。王念孙云:毋语词,本无意义,其字或作无;孟康注《汉书·货殖传》曰:无,发声助也。柱谓"唯毋"犹"唯"也。唯无双声。长言为"唯毋"。短言为"唯",或为"毋"。"毋"古通"无"。凡《诗》之"无念尔祖"、"无沦胥以败"之"无",均犹"唯"也。

又有极合今日方言者。如《非命下篇》云:

虽昔者三代暴王桀纣幽厉之所共扡其国家、倾覆其社稷者,此也。

王念孙谓"共,当是失字之误",是也。《墨子书》言失扰,今吾乡方言有扰失之语,其义一也。《说文》云:"扰,有所失也。"《尚贤中篇》云:

> 若昔者伯鲧帝之元子,废帝之德庸,既乃刑之于羽之郊,乃热照无有及也。

此以热为日,热照即日照,今吾乡方言尚呼日为热头也。

其造句亦有甚矜练奇古者。如《天志中篇》云:

> 历原讹作磨,从王较改。为日月星辰,以昭道之;制为四时春秋冬夏,以纪纲之;雷降雪霜雨露,以长遂五谷麻丝,使民得而财用之;列为山川谿谷,播赋百事,以临司民之善否。

此造语长短错综,用字何其矜练?又《明鬼下篇》云:

> 神曰:无惧,帝享女明德,使余锡女寿十年有九。

此"十年有九"一语，比之常语"十有九年"，便觉古雅加倍矣。至于《经》与《经说》，大小《取》等篇，奇险之句，更如行山阴道上，有应接不暇之势矣。今以其衍误者众，校释别见拙著《墨子间诂补正》，兹不录焉。至其篇段，亦极有法度，今择其稍短者，如《兼爱上篇》，录之于下，以便论证。

《兼爱上》第十四：

> 圣人以治天下为事者也，必知乱之所自起，焉能治之；不知乱之所自起，则不能治。譬之，如医之攻人之疾者然，必知疾之所自起，焉能攻之；不知疾之所自起，则弗能攻。治乱者何独不然，必知乱之所自起，焉能治之；不知乱之所自起，则弗能治。圣人以治天下为事者也，不可不察乱之所自起。当察乱何自起，起不相爱。臣子之不孝君父，所谓乱也。子自爱不爱父，故亏父而自利；弟自爱不爱兄，故亏兄而自利；臣自爱不爱君，故亏君而自利；此所谓乱也。虽父之不慈子，兄之不慈弟，君之不慈臣，此亦天下之所谓乱也。父自爱也，不爱子，故亏子而自利；兄自爱也，不爱弟，故亏弟而自利；君自爱也，不爱臣，故亏臣而自利；是何也？皆起不相爱。虽至天下之为盗贼者，亦然。盗爱其室，

不爱其异室，故窃异室以利其室；贼爱其身，不爱人身，据俞说增。故贼人身以利其身；此何也？皆起不相爱。虽至大夫之相乱家，诸侯之相攻国者，亦然。大夫各爱其家，不爱异家，故乱异家以利其家；诸侯各爱其国，不爱异国，故攻异国以利其国：天下之乱物，具此而已矣。察此何自起？皆起不相爱。若使天下兼相爱，爱人若爱其身；犹有不孝者乎，视父兄与君若其身，恶施不孝？犹有不慈者乎，视弟子与臣若其身，恶施不慈？故不孝不慈亡有。犹有盗贼乎？故视人之室若其室，孙云：故字疑衍。柱按：故与夫同。谁窃？视人身若其身，谁贼？故盗贼亡有。犹有大夫之相乱家，诸侯之相攻国者乎？视人家若其家，谁乱？视人国若其国，谁攻？故大夫之相乱家，诸侯之相攻国者亡有。若使天下兼相爱，国与国不相攻，家与家不相乱，盗贼无有，君臣父子皆能孝慈，若此则天下治。故圣人以治天下为事者，恶得不禁恶而劝爱？故天下兼相爱则治，交相恶则乱。故子墨子曰：不可以不劝爱人者，此也。

此在墨子为短篇文字，最为有法度之文。兹分段说之如下：

（一）自"圣人以治天下为事者也"至"则弗能治"。

为一篇之纲领,标出欲治必先明其致乱之原,而后有治之之术。

(二)自"圣人以治天下为事者也"至"天下之乱物,具此而已矣。察此何自起?皆起不相爱"。

此一段说出致乱之原,由于不相爱。

(三)"若使天下兼相爱"至末。

此一段说出兼爱为治之之术。其法度谨严如此。末一段分数节,结构亦甚新,兹分录如下:

> 犹有不孝者乎?视父兄与君若其身,恶施不孝?犹有不慈者乎?视弟子与臣若其身,恶施不慈?故不慈不孝亡有。
>
> 犹有盗贼乎?故同夫。视人之室若其室,谁窃?视人身若其身,谁贼?故盗贼无有。
>
> 犹有大夫之相乱家,诸侯之相攻国者乎?视人家若其家,谁乱?视人国若其国,谁攻?故大夫之相乱家,诸侯之相攻国者亡有。

每节以犹有"ムム"乎问起,下乃答之,格亦特创。

至墨子立说之根本,及其方法,墨子亦尝自言之。如《非命上篇》云:

故言必有三表。何谓三表？子墨子曰："有本之者，有原之者，有用之者。"于何本之？上本之于古圣王之事。于何原之？下原察百姓耳目之实。于何用之？废孙云：废读为发。以为刑政，观其中国家百姓人民之利。此所谓三表也。

此三表或以拟于印度之三支法：谓本之，即声量；原之，即现量；用之，即比量。今姑勿具论。然吾谓第一表是观察历史；第二表是考察民情；第三表是验之当今。墨子立论之法，大约不外此三者。如《兼爱下篇》云：

今若夫兼相爱交相利，此自先圣六王者亲行之。何以知先圣六王之亲行之也？子墨子曰：吾非与之并世同时，亲闻其声，见其色也。以其所书于竹帛，镂于金石，琢于槃盂，传遗后世子孙者知之。《泰誓》曰：文王若日若月，乍照光于四方，于西土。即此言文王之兼爱天下之博大也，譬之日月兼照天下之无有私也。即此文王兼也。虽子墨子所谓兼者，于文王取法焉。下尚引禹汤武王之兼，兹从略。

此第一表所谓"本之之法，上本之古者圣王之事"者也。义云：

> 当今之时，天下之害孰为大？曰：若大国之攻小国也，大家之乱小家也，强之劫弱，众之暴寡，诈之谋愚，贵之敖贱，此天下之害也。又与为人君者之不惠也，臣者之不忠也，父者之不慈也，子者之不孝也，此又天下之害也。又与今人之贱人，执其兵刃毒药水火以交相亏贼，此又天下之大害也。姑尝本原若众害之所自生。此胡自生？此胡自生？此自爱人利人生与？即必曰非然也；即必曰从恶人贼人生。

此第二表所谓"原之之法，下察百姓耳目之实"者也。又云：

> 且焉有善而不可用者？姑尝两而进之。谁以为二士，使其一士者执别，使其一士者执兼。是故别士之言曰：吾岂能为吾友之身若为吾身？为吾友之亲若为吾亲？是故退睹其友，饥即不食，寒即不衣，疾病不侍养，死丧不葬埋：别士之言若此，行若此。兼士之言则不然，行亦不然，曰：吾闻为高士于天下者，必为其友之身若为其身，为其友之亲若为其亲，然后可以为高士于天下；是故退睹其友饥即食之，寒则衣之，疾病侍养，死丧葬埋之：兼士之

言若此，行若此。若之二士者，言相非而行相反与？当使若之二士者，言必信，行必果，使言行之合，若符节也，无言而不行也；然即敢问今有平原广野于此，被甲婴冑，将往战，死生之权，未可识也；又有君大夫之远使于巴越齐荆，往来及否，未可识也；然即敢问不识将恶也。俞云：恶下脱从宁。家室，奉承亲戚，提挈妻子，而寄托之，不识于兼之有是乎？于别之有是乎？我以为当其于此也，天下无愚夫愚妇，虽非兼之人，必寄托之于兼之有是也。

此第三表所谓"用之之法，发为刑政，观其中国家百姓人民之利"者也。

此三表盖为墨子学说成立之要素。

且墨子立论，又最重知类。《公输篇》云：

公输盘曰："夫子何命焉为？"子墨子曰："北方有侮臣，愿借子杀之。"公输盘不说。子墨子曰："请献十金。"公输盘曰："吾义固不杀人。"子墨子起再拜曰："请说之：吾从北方闻子为梯，将以攻宋。宋何罪之有？荆国有余于地，而不足于民；杀所不足，而争所有余，不可谓智。宋无罪而攻之，不可谓仁。智而不争，不可谓忠。争而不得，不可谓强。义不杀少而杀众，不可不谓知类。"公输盘服。

"知类"二字，实为墨子立论之要道。其非攻立论，即本于此。今录其《非攻上篇》。

《非攻上》第十七：

> 今有一人，入人园圃，窃其桃李；众闻则非之，上为政者得则罚之；此何也？以亏人自利也。至攘人犬豕鸡豚者，其不义又甚入人园圃窃桃李；是何故也？以亏人愈多，其不仁兹甚，罪益厚。至入人栏厩，取人马牛者，其不仁义又甚攘人犬豕鸡豚；此何故也？以其亏人愈多；苟亏人愈多，其不仁兹甚，罪益厚。至杀不辜人也，扡其衣裘，取戈剑者，其不义又甚入人栏厩，取人牛马；此何故也？以其亏人愈多；苟亏人愈多，其不仁兹甚矣，罪益厚。当此天下之君子，皆知而非之，谓之不义。今至大为攻国则弗知非，从而誉之，谓之义；此可谓知义与不义之别乎？杀一人谓之不义，必有一死罪矣。若以此说往，杀十人，十重不义，必有十死罪矣。杀百人，百重不义，必有百死罪矣。当此天下之君子，皆知而非之，谓之不义。今至大为不义攻国，则弗知非，从而誉之，谓之义。情不知其不义

也，故书其言以遗后世。若知其不义也，夫奚说书其不义以遗后世哉？今有人于此，少见黑曰黑，多见黑曰白，则以此人不知黑白之辩矣；少尝苦曰苦，多尝苦曰甘，则以此人为不知甘苦之辩矣。今小为非则知而非之，大为非攻国则不知非，从而誉之，谓之义，此可谓知义与义之类乎？是以知天下之士君子也，辩义与不义之乱也。

此文以小类大，次第推广。其言攻战侵略之罪，可谓著明极矣。古来之开国帝王，其能逃于此乎？世之持侵略主义之国家，其能外于此乎？至其所载之神话，尤有文学之价值。兹节录二则，如下：《明鬼下篇》云：

昔者，宋文君鲍之时，有臣曰祏观辜，固尝从事于厉。祩子杖揖出与言曰："观辜，是何珪璧之不满度量？酒醴粢盛之不净洁也？牺牲之不全肥，春秋冬夏选失时，岂女之为与？意鲍为之与？"观辜曰："鲍幼弱，在荷襁之中，鲍何与识焉？官臣观辜特为之。"祩子举揖而槁之，殪之坛上。

《耕柱篇》云：

昔者，夏后开使蜚廉折金于山川，而陶铸之于昆吾。是以使翁难雉乙卜于白若之龟，曰："鼎成三足而方，不炊而自烹，不举而自臧，不迁而自行。"以祭于昆吾之虚，上乡。乙又言兆之由，曰："飨矣。逢逢白云，一南一北，一西一东；九鼎既成，迁于三邦。原作国，误。邦东韻，刘师培说。夏后失之，殷人受之；殷人失之，周人受之。"

凡此皆富有文学之精神者也。至于所引《经传》，存遗佚于千百；于经学、文学，均大裨益，详见《墨子之经学篇》，兹不重陈，请进而略论墨子之文，与后世文学之关系焉。

夫吾国文体，大别之不外韵文、散文二种。韵文之极，首推萧《选》。唐后散文，首推韩、柳。兹略为摘录，以见墨子之书，衣被后代文学之大焉。

> 慕唐虞之茅茨，思夏后之卑室。张平子《东京赋》注，善曰：《墨子》曰：尧舜茅茨不剪，采椽不刊。《论语》云：禹卑宫室而尽力于沟洫也。
>
> 上下通情，式宴且盘。同上注，善曰：《墨子》曰：古者，圣王惟能审以上同，是故上下通情。
>
> 总集瑞命，备至嘉祥。同上注，善曰：《墨子》曰：禹

亲抱天之瑞命也。

鉴茅茨于陶唐，察卑宫于夏禹。左太冲《魏都赋》注，善曰：《墨子》曰：尧舜茅茨不剪。《论语》曰：禹卑宫室。

风无纤埃，雨无微津。同上注，善曰：《墨子》曰：圣王作为宫室，边足以御风寒，上足以待露。

公输荒其规矩，匠石不知其所斲。何平叔《景福殿赋》注：《墨子》曰：公输般为云梯。

岂徒积太颠之宝贝，与隋侯之明珠。木玄虚《海赋》注：《墨子》曰：和氏之璧，隋侯之珠。

结典籍而为罟兮，驱儒墨以为禽。张平子《思玄赋》注：儒家者述圣道之书也，以仁义为本，以礼乐为用；墨家者强本节用之书也，以贵俭尚贤为用。善曰：墨，墨家流也。柱按：宋六臣本"儒家"，上有"衡曰"二字。

于是般匠施巧，夔妃准法。王子渊《洞箫赋》注：《墨子》曰：公输为云梯。

于是乃使鲁班宋翟，构云梯，抗浮柱。马季长《长笛赋》注：翟，墨子之名也。《墨子》曰：公输般为云梯垂成，大山四起，所谓善攻具也，必取宋。于是墨子见公输般而止之。

南邻击钟磬，北里吹笙竽。左太冲《咏史诗》注：《墨子》曰：弹琴瑟，吹笙竽。

力政吞九鼎，苛慝暴三殇。谢宣远《张子房诗》注：《墨子》曰：反天意者，力政也。

藤藿弗充虚,皮褐犹不全。曹子建《赠王粲诗》注:《墨子》曰:古之人其为食也,足以增气充虚而已。

悲风鸣我侧,羲和逝不留。曹子建《赠王粲诗》注:《墨子》曰:时不可及,日不可留。

班匠不我顾,牙旷不我录。司马绍统《赠山涛诗》注:《墨子》曰:公输般为云梯。

盖本同末异,杨朱兴哀;始素终玄,墨翟垂涕。卢子谅《赠刘琨一首并书》注:《淮南子》曰:杨子见逵路而哭之,为其可以南、可以北;墨子见练丝而泣,为其可以黄、可以黑。柱按:墨子有《所染篇》。又按:正文"垩"字,宋六臣本作"垂"。

宿昔秉良弓,楛矢何参差。曹子建《白马篇》注:《墨子》曰:良弓难张,然可以及高入深。

杀身良不易,默默以苟生。石季伦《王明君辞》注:《墨子》曰:哀公迎孔子,席不端不坐,割不正不食。子路曰:"何与陈蔡异?"孔子曰:"曩与汝为苟生,今与汝为苟义也。"

临乐何所叹,素丝与路岐。曹颜远《感旧诗》注:《淮南子》曰:杨子见逵路而哭之,为其可以南、可以北;墨子见练丝而泣之,为其可以黄、可以黑。

清卮阻献酬,良书限闻见。谢玄晖《和伏武昌登孙权故城诗》注:《墨子》曰:墨子献书惠王,惠王受而读之,曰良书也。柱按:宋六臣本"墨子"下无"曰"字。

于是构云梯,陟峥嵘。张景阳《七命》注:《墨子》

曰：公输般为云梯，必取宋。

圜案星乱，方丈华错。同上注：《墨子》曰：美食方丈，目不能遍视，口未能遍味也。柱按：宋六臣本"墨子"下无"曰"字。

却马于粪车之辕，铭德于昆吾之鼎。同上注：《墨子》曰：昔夏开使飞廉采金于山，以铸鼎于昆吾。柱按：宋六臣本无"曰"字。

永念画冠，缅追刑厝。王元良《永明九年策秀才文》注：《墨子》曰：画衣冠异章服谓之戮，上世用戮而民不犯。

昔宋臣以礼乐为残贼，汉主比文章于郑卫。王元良《永明十一年策秀才文》注：宋臣墨翟也，孙卿子曰：乐也者，和之不可变者也；礼也者，理之不可易者也。墨子非之几遇刑也，墨子贱礼乐而贵勇力，贪则为盗，富则为贼，治世反是。柱按：宋六臣本"遇"作"过"。

故慈父不能爱无益之子，仁君不能畜无用之臣。曹子建《求自试表》注：《墨子》曰：虽有贤君，不爱无功之臣；虽有慈父，不爱无用之子。

身被轻暖，口厌百味。同上注：《墨子》曰：衣服之法，冬则练白之中，足以为轻且暖。

日月称其明者，以无不照；江海称其大者，以无不容。曹子建《求通亲亲表》注：《墨子》曰：江河不恶小谷之满己也，故能人。

今陛下致昆山之玉,有和隋之珠。李斯《上秦始皇书》注:《墨子》曰:和氏之璧,隋侯之珠。柱按:正文"和隋"宋六臣本作"和氏"。

铭功景钟,书名竹帛。杨德祖《答临淄侯笺》注:《墨子》曰:以其所获,书于竹帛,传遗后世子孙也。

虽累茧救宋,重胝存楚。任彦昇《百辟劝进今上笺》注:《战国策》曰:公输般为楚设机械,将以攻宋。墨子闻之百舍重茧往见公输般,输般服焉。请见之王,王曰:善哉,请无攻宋。柱按:事见墨子《公输篇》。

夫墨子之守,萦带为垣,高不可登;折箸为械,坚不可入。陈孔璋《为曹洪与魏文书》注:《墨子》曰:公输为云梯,必取宋。于是见公输,九设攻城之机,墨子九拒之。公输般之攻械尽,子墨子之守围有余。公输般出而曰:"吾知所以距子矣,吾不言。"子墨子亦曰:"吾知子所以距我者,吾不言之。"王问其故,子墨子曰:"公输子之意不过欲杀臣,杀臣,宋莫能守,乃可攻也。然臣之弟子禽滑釐三百人,已持守围之器在宋城上,而待楚寇矣。虽杀臣不能绝也。"楚王曰:"善,吾请无攻也。"柱按:注文"围",宋六臣本作"圉",无末"也"字。

间自入益部,仰司马杨王遗风,有子胜斐然之志。陈孔璋《为曹洪与魏文书》注:《墨子》曰:二三子复于子墨子曰,告子胜仁。子墨子曰:"未必然也。告子为仁,犹跂以为长,偃以为广,不可久也。"

扶寸胾修，味逾方丈。应休琏《与从弟君苗君胄书》注：《墨子》曰：美食方丈，目不能遍视，口不能遍味。

若使墨翟之言无爽，宣室之谈有征。刘孝标《重答刘沫陵诏书》注：《墨子》曰：昔周宣王杀其臣杜伯而不辜。杜伯曰："吾君杀我而不辜，若以死者为无知则止矣，若死而有知，不出三年，必死吾君之期。"三年，周宣王合诸侯而田于圃，车数百乘，从数千人，满野。日中，杜伯乘白马素车，朱衣冠，执朱弓，挟朱矢，追宣王，射之车上，中心折脊，殪车中，伏弢而死。若书之说而观之，则鬼神之有，岂可疑哉。柱按：注文"必死吾君之期"，"死"字宋六臣本作"使"。

夫上世之士，或解傅而相，或释褐而傅。杨子云《解嘲》注：《墨子》曰：傅说被褐带索庸筑傅岩，武丁得之，举以为三公。

夫百姓不能自治，故立君以治之；明君不能独治，则为臣以佐之。袁彦伯《三国名臣序赞》注：《墨子》曰：古者同天之义，是故选择贤者立为天子，天子以其知为未足独治天下，是以选择其次，立以为三公。柱按：注文宋六臣本不重"天子"二字。

夫饿馑流隶，饥寒道路，思有短褐之袭，担石之蓄；所愿不过一金，终于转死沟壑。何则？贫穷亦有命也。班叔皮《王命论》注：《墨子》曰：贫富治乱，固有天命，不可损益也。

夫治乱运也，穷达命也，贵贱时也。李萧远《运命论》注：《墨子》曰：贫富治乱，固有天命，不可损益。

臣观管辂天才英伟，珪璋特秀；实海内之名杰，岂日者卜祝之流乎？刘孝标《辨命论》注：《墨子》曰：墨子北之齐，过日者。日者曰："帝今日杀黑龙于北方，先生之色黑，不可以北。"墨子不听。

然所谓命者，死生焉，贵贱焉，贫富焉，治乱焉，祸福焉，此十者天之所赋也。刘孝标《辨命论》注：《墨子》曰：贫富治乱，固有天命，不可损益。

是以耿介之士，疾其若斯；裂裳裹足，弃之长骛。刘孝标《广绝交论》注：《墨子》公输欲以楚攻宋，墨子闻之自鲁往，裂裳裹足，十日至郢。

凶丑骇而疑惧，乃阙地而攻。子命穴浚堑，寘壶镭瓶瓯以侦之。潘安仁《马汧督诔》注：《墨子》曰：若城外穿地来攻者，宜于城内掘井以薄城，幕罂内井，使聪耳者伏罂而听，审知穴处，凿内迎之。柱按：注文"掘"字宋六臣本作"堀"，无"幕罂内井"四字，"罂"作"甖"。

以上《昭明文选》所引用《墨子》书之大略也。据金陵书局仿汲古阁本。至于唐韩柳之文，后世所奉为散文之宗师者，其得于墨子亦正不浅。吾尝作《证韩篇》，兹摘录其关于墨子者如下：

《原道》：古之时，民之害多矣。有圣人者立，然后教之以相生相养之道；为之君，为之师；驱其虫蛇而处之中土；寒然后为之衣，饥然后为之食；木处而颠，土处而病也，然后为之宫室；为之工以赡其器用，为之贾以通其有无，为之医药以济其夭死，为之葬埋祭祀以长其恩爱，为之礼以次其先后，为之乐以宣其壹郁，为之政以率其怠倦，为之刑以锄其强梗；相欺也，为之符玺斗斛权衡以信之；相夺也，为之城郭甲兵以守之；害至而为之备，患生而为之防。

此段盖自《墨子·辞过篇》化出。兹略举《墨子》文为对照如下：

古之民，未知为宫室时。就陵阜而居，穴而处下，润湿伤民，故圣王作为宫室。

古之民，未知为衣服时，衣皮带茭，冬则不轻而温，夏则不轻而清；圣王以为不中人之情，故作诲妇人，治丝麻梱布绢以为民衣。

古之民，未知为饮食时，素食而分处；故圣王作诲男耕稼树艺，以为民食。

古之民，未知为舟车时，重任不移，远道不至；故圣王作为舟车，以便民之事。

观此,则昌黎此段之意,乃驯从墨子改易而出,盖非诬矣。

《师说》:爱其子择师而教之;于其身也,则耻师焉,惑矣。彼童子之师,授之书而习其句读者,非吾所谓传其道解其惑者也。句读之不知,惑之不解;或师焉,或不焉;小学而大遗,吾未见其明也。

此文之意,盖得自《墨子·尚贤下篇》。

今天下之士君子,居处言语皆尚贤,逮至其临众发令而治民,莫知尚贤而使能,我以此知天下之士君子明于小而不明于大也。何以知其然乎?今王公大人有一牛羊之财不能杀,必索良宰;有一衣裳之财不能制,必索良工。当王公大人之于此也,虽有骨肉之亲,无故富贵面目美好者,实知其不能也。不使之也。是何故?恐败财也。当王公大人之于此也,则不失尚贤而使能。王公大人有一罢马,不能治,必索良医;有一危弓,不能张,必索良工。当王公大人之于此也,虽有骨肉之亲,无故富贵,面目美好者,实知其不能也,必不使。是何故?恐其败财也。当王公大人之于此也,则不失尚贤而使能。

逮其国家则不然，王公大人骨肉之亲，无故富贵，面目美好者则使之。则王公大人之亲其国也，不若其一危弓罢马衣裳之财与？我以此知天下之士君子，皆明于小而不知大也。

昌黎之意，出自墨子，岂不明甚？惟韩氏化墨子之整以为奇，化墨子之繁以为简，而人遂不易看破耳。

《师说》：巫医药师百工之人，不耻相师；士大夫之族，曰师、曰弟子云者，则群聚而笑。巫医乐师百工之人，君子不齿；今其智乃反不相及，其可怪也欤！

此文盖本于《墨子·法仪篇》，《墨子》云：

百工为方以矩，为圜以规，直以绳，正以县，无巧工不巧工，皆以此四者为法；四原作五，据俞说校正。巧者能中之；不巧者虽不能中，放依以从事，犹逾已。故百工从事，皆有法所度。今大者治天下，其次治大国，而无法所度；此不若百工辩也。

韩文以巫医乐师百工与士君子相较；墨子以百工与

治天下国家相较;其文法一也。柳柳州文之最胜者,莫如《封建论》。其首段云:

> 彼其初与万物皆生,草木榛榛,鹿豕狉狉,人不能搏噬,而且无毛羽,莫克自奉自卫。荀卿有言:"必将假物以为用者也。"夫假物者必争,争而不已,必就其能断曲直者而听命焉。其智而明者,所伏必众,告之以直而不改,必痛之而后畏,由是君长刑政生焉。故近者聚而为群,群之分,其争必大,大而后有兵有德。又有大者,众群之长又就而听命焉,以安其属。于是有诸侯之列,则其争又有大者焉。德又大者,诸侯之列又就而听命焉,以安其封。于是有方伯、连帅之类,则其争又有大者焉。德又大者,方伯、连帅之类又就而听命焉,以安其人,然后天下会于一。是故有里胥而后有县大夫,有县大夫而后有诸侯,有诸侯而后有方伯、连帅,有方伯、连帅而后有天子。

此文盖本于《墨子·尚同篇》,而一反其意。《墨子·尚同上篇》云:

> 古者民始生未有刑政之时,盖其语人异义,是以一人则一义,二人则二义,十人则十义,其人兹

众，其所谓义亦兹众。是以人是其义，而非人之义，故交相非也。是以内者父母兄弟作怨恶，离散不能和合。天下之百姓皆以水火毒药相亏害；至有余力不能以相劳，腐朽余财不能以相分，隐匿良道不以相教。天下之乱若禽兽然。夫明虖天下之所以乱者，生于无政长。是故选天下之贤可者立以为天子；天子立，以其力为未足，又选择天下之贤可者，置立之以为三公；天子三公既以立，以天下为博大，远国异土之民，是非利害之辨，不可一二而明知，故画分万国，立诸侯国君；诸侯国君既已立，以其力为未足，又选择其国之贤可者，置立之以为正长。

墨子此文，论政府之组织，由天子而有三公诸侯，由诸侯而有里长；柳子厚则反其意，由众群之长而有诸侯，由诸侯而有方伯连帅，由方伯连帅而有天子；约而言之，则墨子由大而小，柳则由小而大而已。然谓柳子厚非先有得于墨子不可也。然则墨子之衣被后世文人，岂浅鲜乎？

要而论之，墨子之书义理最为丰富，其文虽质浅而甚博辩，诚子部中之宝书也。至评论墨子之文者，最古有楚王及田鸠。《韩非子·外诸说左上篇》云：

楚王谓田鸠曰："墨子者，显学也。其身体则可，其言多而不辩，何也？"曰："秦伯嫁其女于晋公子，令鲁为饰装，<u>鲁各本作晋，据孙诒让改。</u>从文衣之媵七十人。至晋，晋人爱其妾而贱公女。此可谓善嫁妾而未可谓善嫁女也。楚人有卖其珠于郑者，为木兰之柜，薰以桂椒，<u>各本作薰以桂椒之椟，据王先慎校改。</u>缀以珠玉，饰以玫瑰，辑以羽翠。郑人买其椟而还其珠。此可谓善卖椟矣，未可谓善鬻珠也。今世之谈也，皆道辩说文辞之言，人主览其文而忘其用。墨子之说，传先王之道，论圣人之言，以宣告人，若辩其辞则恐忘其用，<u>用字据顾校增。</u>直以文害用也。此与楚人鬻珠、秦伯嫁女同类，故其言多不辩。"

此所谓不辩，犹云不文，谓无文饰也。故云："辩其辞，则恐人怀其文而忘其用也。"《墨子·经上下》世称为《墨辩》，《庄子·骈拇篇》以杨、墨为骈于辩；则此之不辩为不文，而非真无辩也可知。由楚王及田鸠之说观之，足见墨子之文，朴质无华，肖其为人也。楚王、田鸠而后，有黄震。其《黄氏日抄诸子类》云：

　　昌黎严于荀、杨择焉未精之辨，何独恕于墨子似是而非也？墨子之书凡二。其后以论称者，多衍复；其前以经称者，善文法。昌黎主文者也，或者一时悦其文而然欤？

由黄氏之说观之，可见墨子之文之工，更足证吾前说韩文多本于墨子之不诬矣。至明有陈仁锡，评云：

"以尚贤兼爱为宗，其文滔滔莽莽，一泻千里，可称辩才。及读《攻守》诸篇，叙事错综变幻，诘屈聱牙，又何奇也！"

然则墨子书在文学上之价值，岂小也邪？

墨子与诸子之异同

《庄子·天下篇》云：

古之人其备乎？配神明，醇天地，育万物，和天下，泽及百姓，明于本数，系于末度，六通四辟，小大精粗，其运无乎不在。其明而在数度者，旧法世传之史，尚多有之。其在于《诗》《书》《礼》《乐》者，邹鲁之士，缙绅先生多能明之。《诗》以道志，《书》以道事，《礼》以道行，《乐》以道和，《易》以道阴阳，《春秋》以道名分。其数散于天下，而设于中国者，百家之学，时或称而道之。天下大乱，贤圣不明，道德不一，天下多得一察焉以自好；譬如耳目鼻口，皆有所明，不能相通；犹百家众技也，皆有所长，时有所用。虽然，不该不遍，一曲之士也。判天下之美，析万物之理，察古人之全，寡能备于天地之美，称神明之容。是故内圣外王之道，暗而不明，郁而不发；天下之人，各为所欲焉以自为方。

悲夫！百家往而不反，必不合矣！后世之学者，不幸不见天地之纯，古人之大体，道术将为天下裂。

由此文观之，可知者二事：

（一）春秋战国诸子之学，原或本于《六艺》。

（二）诸子多得一察以自好，故如耳目鼻口皆有所明，不能相通。

第一事，墨子之于《六艺》，吾于《墨子之经学篇》已论证之矣。今请论第二事，以明墨子与诸子异同之故焉。春秋战国，诸子之书甚众，未能尽论。兹举其荦荦大者，如儒之孔，道之老，法之韩，三家与墨家之异同，略而论焉。

墨子之学，出发于《尚书》；孔子之学，出发于《易》；余前已阐明之矣。《易》与《书》各属《六艺》之一，皆圣人之道。古之《六艺》，虽异于孔子所删定者。然庄子云："古之人其备乎？六通四辟，小大精粗，其运无乎不在。"则《六艺》皆古圣人之道，大旨虽或有不同，要必无各立门户、互相攻伐之理。故孔、墨既同出于《六艺》，自必有其相同之处。故韩愈读《墨子》云：

儒讥墨以上同、兼爱、上贤、明鬼；而孔子畏大人，居是邦不非其大夫，《春秋》讥专臣，不上同哉？孔子泛爱亲仁，以博施济众为圣，不兼爱哉？孔子贤贤，以四科进褒弟子，疾没世名不称，不上贤哉？孔子祭如在，讥祭如不祭者，曰我"祭则受福"，不明鬼哉？儒、墨同是尧、舜，同非桀、纣，同修身正心以治天下国家，奚不相悦如是哉？余以为辩生于末学，各务售其师之说，非二师之道本然也。孔子必用墨子，墨子必用孔子；不相用，不足为孔、墨。

韩氏此文，固未尝不言之成理也。又《汉书·艺文志》云：

> 墨家者流，盖出于清庙之守：茅屋采椽，是以贵俭；三老五更，是以兼爱；选士大射，是以上贤；宗祀严父，是以右鬼；以孝视天下，是以上同。

然则自刘、班此说观之，墨子之学盖又出于《礼》，亦儒家之所重也。孔子曰："吾志在《春秋》，行在《孝经》。"而墨子以"孝视天下"，其相同也如此。然而孟子竟斥之曰"无父"，岂孟子之说不足信乎？今再观于墨子之书，《兼爱上篇》云：

臣子之不孝君父，所谓乱也。子自爱不爱父，故亏父而自利；弟自爱不爱兄，故亏兄而自利；臣自爱不爱君，故亏君而自利；此所谓乱也。虽父之不慈子，兄之不慈弟，君之不慈臣，此亦天下之所谓乱也。父自爱也，不爱子，故亏子而自利；兄自爱也，不爱弟，故亏弟而自利；君自爱也，不爱臣，故亏臣而自利。

然则父慈、子孝、兄友、弟爱、君仁、臣忠，墨子之道，亦果与孔子同也。然则韩子之言，岂不甚甚？而孟子之言，岂非大妄哉？然吾观其《法仪篇》云：

然则奚以为治法而可？当皆法其父母奚若？天下之为父母者众，而仁者寡；若皆法其父母，此法不仁也；法不仁，不可以为法。当皆法其学奚若？天下之为学者众，而仁者寡；若皆法其学，此法不仁也；法不仁，不可以为法。若皆法其君奚若？天下之为君者众，而仁者寡；若皆法其君，此法不仁也；法不仁，不可以为法。故父母、学、君三者，莫可以为治法。然则奚以为治法而可？故曰：莫若法天。天之行广而无私，其施厚而不德，其明久而不衰，故圣王法之。既以天为法，动作有为，必度于天；天之所欲，则为之，天之所不欲则止。

此大书特书谓父母、学、君三者举不足以为法，则墨子之学，以出发于《尚书》之故，尊天之过，遂至于知有天而不知有君父；与儒家之忠孝，所谓"三年无改于父之道"、"居是邦不非其大夫"之言者异矣。

尝试而论之，孔、墨同重五伦。然儒家之于五伦，以忠爱为本；其对于父母也，则《诗》所谓"母氏圣善，我无令人"二语，足以代表之；其对于君也，则又《诗》所谓"夙夜匪懈，以事一人"二语，足以代表之；皆所谓反躬自责，冀君父之感悟者。引而申之，故后儒遂有"天下无不是之君父"一语。中国自汉武以后，儒学统一；故于政体上二千余年来，绝无发生巨大变化者，其原因实多基于儒家之忠爱。故为君者而贤，则恒以仁慈待其臣下，一切持以宽大。加以地大物博，人民易于为善，人鲜犯法，故亦鲜知有法。此史册所称成康刑措，及汉文景、唐太宗之治，盖不诬也。于此之时，达官贵人，既极其荣华之乐，而小民亦日出而作，日入而息，忘帝力于何有；既无所谓政府，安知有所谓专制者哉？及其衰也，暴君在上，肆虐臣民，而其臣民以忠爱之故，亦不忍背叛；即有援旗誓众、吊民伐罪者，亦只诛在独夫，而无尤于政体。盖人君朝易，而仁暴夕变。故曰："文武之道，布在方册；其人存，则其政举；其人亡，则其政息也。"故中国古来之政体，虽为君主政体，实无所谓专制与不专制也。诚如是，故古来学者，咸无废除君主政体之理想矣。

然假若中国而早行墨子之道，则必不如是。政体必当早有变革，何也？盖墨子以尊天之故，遂不得不卑其君父，而为尚同之说，以上同于天为极轨。《尚同中篇》云：

> 里长顺天子政而一同其里之义。里长既同其里之义，率其里之万民以尚同乎乡长，曰："凡里之万民，皆尚同乎乡长，而不敢下比。乡长之所是，必亦是之；乡长之所非，必亦非之；去而不善言，学乡长之善言；去而不善行，学乡长之善行。"乡长固乡之贤者也。中略。有率其乡之万民以尚同乎国君，曰："凡乡之万民，皆上同乎国君，而不敢下比。国君之所是，必亦是之；国君之所非，必亦非之。去而不善言，学国君之善言；去而不善行，学国君之善行。"国君固国之贤者也。中略。有率其国之万民以尚同乎天子，曰："凡国之万民，上同乎天子，而不敢下比。天子之所是，必亦是之；天子之所非，必亦非之。去而不善言，学天子之善言；去而不善行，学天子

之善行。"天子者固天下之仁人也。中略。夫既尚同乎天子，而未尚同乎天者，则天灾将犹未止也。

此文约而言之，即谓万民皆当上同而不敢下比。上所是必是之，上所非必非之。是非悉以上为准，而下乃无是非之权者也。此其专制为何如邪？然犹可曰贤也；犹可曰上同于天也。然而墨子之学，以兼爱之故，势不能不重实利。实利重则忠爱夺。故《公孟篇》云：

> 公孟子曰："三年之丧，学吾子之慕父母。"子墨子曰："夫婴儿子之知，独慕父母而已。父母不可得也，然号而不止，此其故何也？即愚之至也。然则儒者之知，岂有贤于婴儿子哉？"

是忠爱之薄，墨子既自教之矣。夫好利自私，生物之恒情也。日以仁义之说矫之，犹恐不胜，今乃以薄于忠爱之人，率为实利之是务；墨子虽欲其兼爱，势亦有不可得者矣。于是上自天子，下至百姓，皆为己而竞其实利。墨子虽有上同于天之说，然天之赏罚，本至茫杳而无稽。故天子上同于天之事，不过理想之空谈；而天子国君，大权在握，其使民上同之实，乃根深柢固而不可移矣。如是则上肆其专制之威，而下奋其争利之念；

上之压力愈重，下之痛苦愈甚，而反抗之力乃愈猛；故人人咸感受专制政体之不良，而思有以革除之。而墨子之说，又尝倡言人君不足以为法，是固使其民富有革命之思想者也。则政体之革命，安能免乎！故曰假使中国而早行墨道，政体必早已有所改变者，此也。吾尝谓墨子以尊天而卑父母，与耶教相近。观近世欧洲各国政体之改革，或可知吾之假说为不诬矣。

约而言之，孔、墨之异，在墨本于天，孔本于父母。故儒家以孝治天下，人民视君如父母，贤君视民如赤子；其治重情感，故利害之计较不甚明，而变化不生。墨家则不然，本之于天而天本无情感者也；故重实利而情感薄，故利害之计较严，而变化易起。故孔、墨同言孝，同言爱，同言贤，而趋向各各不同，盖出发之点殊也。

若夫老、墨之同异，亦有可得言者。司马谈称"墨者强本节用，家给人足之道"。而《汉书》称"道家清虚以自守，卑弱以自持"。盖自表面观之，墨近于积极主义，而老近于消极主义，此其异之较然易知者也。然吾尝求其说亦多有同者焉。如《老子》第六十七章云：

> 我有三宝，持而保之：一曰慈，二曰俭，三曰不敢为天下先。

此老子之慈，即墨子之兼爱也。老子之俭，即墨子之节用也。老子之不敢为天下先，即墨子之非攻也。此非言之偶同而已也。《道德经》第八章云：

上善若水，水善利万物而不争。

第三十章云：

以道佐人主者，不以兵强天下。师之所处，兵革生焉。大军之后，必有凶年。

第三十一章云：

夫佳兵者不祥之器，物或恶之，故有道者不处。

第四十九章云：

圣人无常心，以百姓之心为心；善者吾善之，不善者吾亦善之。

第五十三章云：

> 朝甚除，田甚芜，仓甚虚，服文彩，带利剑，厌饮食，财货有余；是谓盗夸。

第八十一章云：

> 天之道利而不害；圣人之道为而不争。

诸如此类，均足以见老子之兼爱、节用、非攻之宗旨，与墨子同也。即其立言最相反者，如老子云："不上贤，使民不争。"而墨子乃大倡尚贤之旨，固似甚戾矣；然章炳麟云：

> 老聃不尚贤，墨家以尚贤为极，何其言之反也？循名异，审分同矣。老之言贤者，谓名誉谈说才气也。墨之言贤者，谓材力技能功伐也。不尚名誉，故无朋党；不尊谈说，故无游士；不贵才气，故无骤官。然则材力技能功伐举矣。

章氏此言甚允，则墨之尚贤与老之不上贤，亦语反而旨合者也。且墨子言法天，而老子亦未尝不言法天，如第五章云：

> 天地不仁，以万物为刍狗；圣人不仁，以百姓为刍狗。

第七章云：

> 天长地久，天地所以能长且久者，以其不自生，故能长生。是以圣人后其身而身先，外其身而身存。非以其无私邪？故能成其私。

第二十五章云：

> 人法地，地法天，天法道，道法自然。

则老子未尝不言法天也。且墨子之《兼爱》论云：

> 视人之国若视其国，视人之家若视其家，视人之身若视其身。是故诸侯相爱则不野战，家主相爱则不相篡，人与人相爱则不相贼。

而《老子》第五十四章亦云：

> 修之于身，其德乃真；修之于家，其德乃余；修

之于乡，其德乃长；修之于邦，原误作国，据《韩非子》校改。苏时学说。其德乃丰；修之于天下，其德乃普。故以身观身，以家观家，以乡观乡，以邦观邦，以天下观天下。

则墨子兼爱学说之成立，似亦原本于老子者。他如墨子云："志不强者智不达，言不信者行不果。"《修身篇》。又云："知而不争不可谓忠，争而不得不可谓强。"《公输篇》。而老子亦云："强行者有志。"又云："知其雄，守其雌。"凡此皆老、墨之所同也。然而墨卒与老大异者，盖老之天为不仁之天，无意志之天；而墨之天，为有意志之天也。惟老子以为天无意志，故圣人法天而治民，亦当生而不有，为而不恃，长而不宰，绝无容稍存计较利害之心于其间；故不贵难得之货，使民不为盗；不见可欲，使民心不乱。是以货利不足以动其心，而慈、俭、不敢先之三宝，可以持而保之。墨子则不然，以天为有意志，而天之意志不可以信于人，而人之意志反太深。故其兼爱之说，亦陷入自利之涂而不自知。《兼爱下篇》云：

姑尝本原之孝子之为亲度者。吾不识孝子之为亲度者，亦欲人爱、利其亲与？意欲人之所恶、贼其亲与？以说观之，即欲人之爱、利其亲也。然即吾恶先从事即得此？若我先从事乎爱利人之亲，然后人报我爱利吾亲乎？意我先从事乎恶人之亲，然后人报我以爱利吾亲乎？即必吾先从事乎爱利人之亲，然后人报我以爱利吾亲也。然即之交孝子者，果不得已乎？毋先从事爱利人之亲者与？

此段结句"不得已"三字，则计较利害之心，未免太甚矣。此与《孝经》"爱亲者不敢恶于人，敬亲者不敢慢于人"之语异。《孝经》之不敢，盖言敬谨之至，唐蔚芝师说。非有交易之谊，且儒者不张实利之说，故其弊不与墨子同。而墨子之不及老子廓然大公，则甚昭灼矣。

盖孔、老同时，墨子稍后，墨子之学受孔子影响而得其反动，故立说有似同者。如《兼爱》《尚贤》《尚同》之类是也。有绝对相反者，如《非乐》《非命》《非儒》之类是也。而老子之教则务以"天下之至柔，驰骋天下之至刚"，故墨子暗受其影响，而无反对之论。然老与孔其学同发原于《易》。马其昶云：

> 老子之言道德，皆原于《易》。其曰："道生一，一生二"，与《易》太极两仪之说合。曰"得一"，即《易》所谓"天下之动贞夫一"。又称"三宝，曰慈，曰俭，曰不敢为天下先"，要即"乾坤易简"之

旨。"慈"故"易";"俭"故"简";"不敢为天下先",则坤之"先迷失道,后顺得当"也。"常",即老子之"常道"矣。而说者乃谓《易》主阳,老子主阴。是未达阴阳体用之全者也。《易》以道阴阳。阴阳之义,莫大乎扶抑。扶阳以为主,抑阴从之;则阳不愆,阴不忒,而天下治,彼劣阴而欲绝之者,不知《易》者也。乾知始,坤成物。凡乾所始,皆坤成之;而坤则柔道也。此与老子之尚柔何以异?老子岂无阳德哉?孔子拟之于龙。龙,阳象也。不然,彼且弱且雌矣,尚何成功之足云?是故老子曰:"自知者明,自胜者强。"此老子之乾道也,而体斯立焉。曰:"知其雄,守其雌,为天下谿。"此老子之坤道也,而用斯行焉。扶阳以为主,而抑阴从之。《易》《老》殊无殊旨。《易》象藏旧史官,老子为周守藏史。故其为书也,一本诸《易》,兹非其述而不作、信而好古之一验欤?

可见孔、老之学,原本相同。惟孔近于积极,而老近于消极。故墨子非儒而不非老;而老子之徒如庄周,虽非墨道,而亦或称墨子。《庄子·天下篇》云:

> 不侈于后世,不靡于万物,不晖于数度,以绳

墨自矫，而备世之急。古之道术有在于是者，墨翟、禽滑厘闻其风而说之。为之大过，已之大顺。作为《非乐》，命之曰《节用》。生不歌，死无服。墨子泛爱兼利而非斗，其道不怒。又好学而博，不异，不与先王同，毁古之礼乐。黄帝有《咸池》，尧有《大章》，舜有《大韶》，禹有《大夏》，汤有《大濩》，文王有辟雍之乐，武王、周公作《武》。古之丧礼，贵贱有仪，上下有等。天子棺椁七重，诸侯五重，大夫三重，士再重。今墨子独生不歌，死不服，桐棺三寸而无椁，以为法式。以此教人，恐不爱人；以此自行，固不爱己。未败墨子道。虽然，歌而非歌，哭而非哭，乐而非乐，是果类乎？其生也勤，其死也薄，其道大觳。使人忧，使人悲，其行难为也。恐其不可以为圣人之道，反天下之心。天下不堪。墨子虽独能任，奈天下何！离于天下，其去王也远矣！墨子称道曰："昔禹之湮洪水，决江河而通四夷九州也。名山三百，支川三千，小者无数。禹亲自操橐耜而九杂天下之川。腓无胈，胫无毛，沐甚雨，栉疾风，置万国。禹大圣也，而形劳天下也如此。"使后世之墨者，多以裘褐为衣，以跂蹻为服，日夜不休，以自苦为极，曰："不能如此，非禹之道也，不足谓墨。"相里勤之弟子，五侯之徒，南方之墨者若获、已齿、邓陵子之属，俱诵《墨经》，而倍谲不同，相谓别墨。以坚白同异之辩相訾，以奇偶不仵之辞相应，以巨子为圣人。皆愿为之尸，冀得为其后世，至今不决。墨翟、禽滑厘之意则是，其行则非也。将使后世之墨者，必以自苦腓无胈、胫无毛相进而已矣。乱之上也，治之下也。虽然，墨子真天下之好也，将求之不得也，虽枯槁不舍也，才士也夫！

此文实誉过于毁矣。孔与墨既同为积极，故墨子遂与孔子抗。今墨子书《非儒》等反孔之论，虽未必尽为墨子所作，或其徒所为；然以《非乐》《节葬》等例之，《非儒》必为墨子之旨，墨子亦必有《非儒》之论；著《非儒篇》者亦必后于孔子而先于孟子，故无非孟之语。至孟子时，墨学大盛，故孟子特辞而辟之；盖受墨者《非儒》之反响也。陈澧云：

> 荀子云："上功用，大俭约，而慢差等，是墨翟、宋钘也。"杨倞《注》云："宋钘，孟子作宋牼。"韩非子云："宋荣子之议，不斗争。"宋荣亦即宋牼，宋牼说秦楚罢兵，是为设不斗争，而其意则在怀利。《孟子》告之曰"何必曰利"，与首章告梁王同。然则首章"何必曰利"之一言，即距墨氏之要言也。

陈氏此语，可谓深得要领。世人徒知孟子斥墨子无父为辟墨，而不知孟子书开宗明义痛斥言利之祸者，皆受墨子实利主义之反响者也。故太史公《孟荀列传》亦以义利两字为经纬，发端即云：

> 余读孟子书，至梁惠王问何以利吾国，未尝不废书而叹也，曰："嗟乎，利诚乱之始也！夫子罕言利者，防其原也！"故曰："放于利而行多怨。"自天子以至于庶人，好利之弊，何以异哉？

此传之末即殿以墨子云："善守御，为节用。"虽有挩文，然亦可知太史公或以其言实利之故，而深抑之，盖史公之学，尊信道儒两家，故于墨子深致不满也。

韩非在老孔墨三家之后，受三家之影响，遂发生法治之学说。韩非尝著《解老》《喻老》两篇，其学之出于老子可知。《史记·老庄申韩列传》云：

> 老子所贵虚无因应，变化于无为，故著辞称微妙难识。庄子散道德放论，要亦归之自然。申子卑卑，施之名实。韩子引绳墨，切事情，明是非，其极惨礉少恩。皆原于道德之意，而老子深远矣。

宋儒苏轼尝推而论之：

　　自老聃之死百余年，有商鞅、韩非著书，言治天下无若刑名之贤。及秦用之，终于胜广之乱。教化不足而法有余，秦以不祀，而天下被其毒。后之学者，知申、韩之罪而不知老聃、庄周之使然。何者？仁义之道，起于夫妇父子相爱之间；而礼法刑政之原，出于君臣上下相忌之际。相爱则有所不忍，相忌则有所不敢；不敢与不忍之心合，而后圣人之道得存乎其中。今老聃、庄周，论君臣父子之间，泛泛乎若萍浮于江湖，而适相值也。夫是以父不足爱，而君不足忌；不忌其君，不爱其父，则仁不足以怀，义不足以劝，礼乐不足以化。此四者皆不足用，而欲置天下于无有。夫无有，岂诚足以治天下哉？商鞅、韩非求为其说而不得，得其所以轻天下而齐万物之术，是以敢为残忍而无疑。今夫不忍杀人，而不足以为仁，而仁亦不足以治民；则是杀人不足以为不仁，而不仁亦不足以乱天下。如此，则举天下唯吾之所欲为，刀锯斧钺，何施而不可？昔者，夫子未尝一日易其言，虽天下之小物，亦莫不有所畏。今其视天下眇然若不足者，此其所以轻杀人欤？太史迁曰："申子卑卑，施于名实。韩子引绳墨,切事情,明是非,其极惨礉少恩。皆原于道德之意。"尝读而思之,事固有不相谋而相感者,老、庄之后,其祸为申、韩。

此论或多非之者。然老子云:"天地不仁,以万物为刍狗;圣人不仁,以百姓为刍狗。"盖以天地为绝对无情者,而圣人亦当法天之绝对无情以为治也。在老子之意,固在去私情,其言亦甚美而固无病也。逮至孔、墨之末流,则彼此相激,而老学之反动亦起矣。韩非子《显学篇》云:

> 墨者之葬也,冬日冬服,夏日夏服,桐棺三寸,服丧三月,卢文弨云:墨子《公孟篇》作三日。世主以为俭而礼之。儒者破家而葬,大毁扶杖,世主以为孝而礼之。夫是墨子之俭,将非孔子之侈也;是孔子之孝,将非墨子之戾也。

则孔学末流之弊,侈于礼乐,而不恤费;而墨学末流之弊,在乎好利而无恩情。又《五蠹篇》云:

> 儒以文乱法,侠以武犯禁,而人主兼礼之。此所以乱也。夫离法者罪,而诸先生以文学取;犯禁

者诛,而群侠以私剑养。

则孔学之末流,多以文乱法;墨学之末流,多以武犯禁。陈澧云:墨子之学以死为能,战国侠烈之风盖出于此。故韩非之学本老子不尚贤之旨,受孔学文侈之反响,遂与墨子尚贤之旨相合。故《显学篇》云:

> 夫视锻锡而察青黄,区冶不能以必剑;水击鹄雁,陆断驹马,则臧获不疑钝利。发齿吻形容,伯乐不能以必马;授车就驾,而观其末涂,则臧获不疑驽良。观容服,听辞言,仲尼不能以必士;试之官职,课其功伐,则庸人不疑于愚智。

此与墨子"列德尚贤有能则举"《尚贤上篇》。之义,正同矣。既尚贤则不能不重功利,故又与墨子之实利主义相合,而尚生存竞争。故《五蠹篇》云:

> 古者丈夫不耕,草木之实足食也;妇人不织,禽兽之皮足衣也;不事力而养足,人民少而财有余;故民不争。是以厚赏不行,重罚不用,而民自治。今人有五子,不为多;子又有五子,大父未死而有二十五孙;是以人民众而财货寡,事力劳而供养薄,

故民争。虽倍赏累罚，而不免于乱。尧之王天下也，茅茨不剪，采椽不斲，粝粢之食，藜藿之羹，冬日麑裘，夏日葛衣；虽监门之服，不亏于此矣。禹之王天下也，身执耒耜，以为民先，股无胈，胫不生毛；虽臣虏之劳，不苦于此矣。以是言之，夫古之让天子者，是去监门之养，而离臣虏之劳也；古传天下而不足多也。今县令一日身死，子孙累世絜驾；故人重之。是以人之于让也，轻辞古之天子，难去今之县令者，薄厚之实异也。夫山居而谷汲者，膢腊而相遗以水；王先慎云：《说文》：膢，楚俗以二月祭饮食也，腊，冬至后三戌腊祭百神。泽居苦水者，买庸而决窦。故饥岁之春，幼弟不饷；穰岁之秋，疏客必食。非疏骨肉爱过客也，多少之心异也。是以古之易财非仁也，财多也；今之争夺，非鄙也，财寡也。轻辞天子，非高也，势薄也；重争土橐，非下也，权重也。

此盖受墨子实利主义之影响，与老子"天地不仁，圣人不仁"之说所陶染，故主张竞争生存之说。而显与老子之慈，墨子之兼爱非攻相反矣。《五蠹篇》云：

今儒墨皆称先王，兼爱天下，则视民如父母。中略。夫以君臣为如父子，则必治。推是言之，是无乱父子也。人之情性，莫先于父母。父母皆见爱而未必治也。君虽厚爱，奚遽不乱？今先王之爱民不过如父母之爱子，子未必不乱也，则民奚遽治哉？

此与其《解老篇》云：

圣人之于万事也，尽如慈母之为弱子虑也，故见必行之道；见必行之道，则其从事亦不疑；不疑之谓勇，不疑生于慈；故曰：慈故能勇。

盖完全相反矣。《五蠹篇》又云：

布帛寻常，庸人不释；铄金百溢，盗跖不掇。不必害，则不释寻常，必害手，则不掇百溢。故明主必其诛也。是以赏莫如厚而信，使民利之；罚莫如重而必，使民畏之；法莫如一而固，使民知之。

此与老子《道德经》第七十四章云：

民不畏死，奈何以死惧之？

盖亦完全相反矣。自此以后，李斯佐秦皇，专尚功

利,严刑峻法,果能统一六国;因而焚书坑儒,一切变古,而秦亦以亡。于是老子所谓"民不畏死,则大威至"七十二章。之言始验。后之论者,徒罪秦皇、李斯,而不知学说之末流,相激相荡,有以酿成之。盖儒道之弊,激以墨翟、韩非,李斯因之,而大变成矣。老子曰:"执古之道,以御今之有。"此观国治乱者,所当特别注意者矣。

诸子墨论述评

周末学术分裂，诸子百家各以其术鸣。造诣既精，持论亦或不免于偏，故彼此相非，短长互见。墨子之学既大行于战国，乃未几而日就衰落，则昔时诸子之非难，其立论亦大有可注意者矣。昔孙诒让《墨子间诂》附录《墨语》，有《墨学通论》一篇，最为论墨者之要删。然于诸子之是非，绝未定论。在彼书体例固应尔，然未足究诸子论难之得失也。兹特重加整理，分别论之，以与学者规蒦焉。

（一）对于墨学全体之批评

《庄子·天下篇》云：

> 不侈于后世，不靡于万物，不晖于数度，以绳墨自矫，而备世之急。古之道术有在于是者，墨翟、禽滑厘闻其风而说之。为之大过，已之大顺。中略。墨子泛爱兼利而非斗，其道不怒。又好学而博，不

异，不与先王同。中略。其生也勤，其死也薄，其道大觳。使人忧，使人悲，其行难为也。恐其不可以为圣人之道，反天下之心。天下不堪。墨子虽独能任，奈天下何！离于天下，其去王也远矣！中略。墨翟、禽滑厘之意则是，其行则非也。将使后世之墨者，必以自苦腓无胈、胫无毛相进而已矣。乱之上也，治之下也。虽然，墨子真天下之好也，将求之不得也，虽枯槁不舍也，才士也夫！

《荀子·非十二子篇》云：

不知壹天下，建国家之权称，上功用，大俭约，而僈差等；曾不足以容辨异，县君臣，然而其持之有故，言之成理，足以欺惑愚众，是墨翟、宋钘也。

《荀子·王霸篇》云：

今以一人听天下，日有余而治不足者，使人为之也。今大有天下，小有一国，必自为之，然后可，则劳苦耗顇莫甚焉。如是，则虽臧获不肯与天子易势业。以是县天下，一四海，何故必自为之？为之者，役夫之道也；墨子之说也。论德使能而官施之者，圣王之道也，儒者之所谨守也。

《荀子·天论篇》云：

> 墨子有见于齐，而无见于畸。中略。有齐而无畸，则政令不施。

《荀子·解蔽篇》云：

> 墨子蔽于用而不知文。中略。故由用谓之，道尽利矣。

庄、荀二家所论，可谓深中墨学之利弊。庄子以才士二字称墨子，可谓确切之至。周秦诸子，其才如墨子者，盖无其人焉。其云"以绳墨自矫"、"为之大过"、"其道大觳"等语，均可谓深得墨学之精神。又云："天下不堪，墨子虽独能任，奈天下何？"则墨学之所以不能行于后世者，庄子盖以见及之矣。又云："使后之墨者相进而已矣。乱之上也，治之下也。"则墨之流而为侠，韩非所谓"以武犯禁"者，故庄子以为乱之上也。荀子谓"墨子有见于齐，而无见于畸"、"蔽于用而不知文"，批评墨道,尤可谓简而赅。惟其有见于齐,无见于畸之故,是以兼爱无差等,而其爱不足以爱,而卒至于无爱也;惟其蔽于用而不知文,故节用非乐,功利主义之弊,而至于自私自利。夫以不足以爱之势,而处以自私自利之心,则墨学之极弊,势不至于如杨朱之"拔一毛而利天下不为"者不止也。是偏弊之过也。虽然,荀子所谓"墨子自为,为役夫之道",而以"论德使能而官施之",为儒者之所守;不知墨子之自苦,惟在躬自操作,以养成耐劳及牺牲之精神;至于治天下国家,亦何尝不设官以治?《尚贤中篇》云:

> 故古者,圣王甚尊尚贤而任使能,不党父兄,不偏富贵,不嬖颜色;贤者举而上之,富而贵之,以为官长;不肖者抑而废之,贫而贱之,以为徒役。是以民皆劝其赏,畏其罚,相率而为贤者,以贤者众而不肖者寡;此谓进贤。然后圣人听其言,迹其行,察其所能,而慎予官,此谓事能。中略。故先王言曰:贪于政者不能分人以事,厚于货者不能分人以禄。

此与荀子所谓"论德使能而官施之"何异?荀子必举而非之,斥为"役夫之道",诬矣。

（二）对于兼爱说之反对

《尸子·广泽篇》：

> 墨子贵兼，孔子贵公，皇子贵衷，田子贵均，列子贵虚，料子贵别囿；其学之相非也，数世矣，而不不字，据何焯校增。已，皆弇于私也。

《孟子·滕文公下篇》：

> 杨氏为我，是无君也；墨氏兼爱，是无父也；无父无君，是禽兽也。

《孟子·告子下篇》：

> 墨子兼爱，摩顶放踵，利天下为之。

墨子兼爱之说，尸子以谓弇于私，盖亦谓蔽于私见，犹荀子之所谓蔽也。此百家之所同病也。而孟子斥墨子为无父，然《墨子·兼爱下篇》亦尝云：

> 姑尝本原孝子之为亲度者。吾不识孝子之为亲度者，亦欲人之爱利其亲与？意欲人之恶贼其亲与？

以说观之，即欲人之爱利其亲也。

然则墨子兼爱，未尝不爱父也。而卒至于无父者，则末流之弊，功利主义之害使然矣。汉武以后，儒学统一，孟子之书盛行，人皆恶无父之名，而遂鲜有敢言墨学者。予墨子以最大之打击，厥惟孟子矣。

（三）对于节用说之反对
《荀子·富国篇》：

> 墨子之言，昭昭然为天下忧不足。夫不足，非天下之公患也，特墨子之私忧过计也。今是土之生五谷也，人善治之则亩数盆，一岁而再获之，然后瓜桃枣李一本数以盆鼓，然后荤菜百蔬以泽量，然后六畜禽兽一而剸车，鼋鼍、鱼鳖、鳅鳝以时别，一而成群，然后飞鸟凫雁若烟海，然后昆虫万物主其间，可以相食养者不可胜数也。夫天地之生万物也，固有余足以食人矣；麻葛、茧丝、鸟兽之羽毛齿革也，固有余足以衣人矣。夫有余不足，非天下之公患也，特墨子之私忧过计也。
>
> 天下之公患，乱伤之也。胡不尝试相与求乱之者谁也？我以墨子之"非乐"也则使天下乱，墨子

之"节用"也则使天下贫，非将堕之也，说不免焉。墨子大有天下，小有一国，将蹙然衣粗食恶，忧戚而非乐，若是则瘠，瘠则不足欲，不足欲则赏不行。墨子大有天下，小有一国，将少人徒，省官职，上功劳苦，与百姓均事业，齐功劳，若是则不威，不威则罚不行。旧本"罚"上有"赏"字，据卢文弨说删。赏不行，则贤者不可得而进也；罚不行，则不肖者不可得而退也。贤者不可得而进也，不肖者不可得而退也，则能不能不可得而官也。若是则万物失宜，事变失应，上失天时，下失地利，中失人和，天下敖然，若烧若焦。墨子虽为之衣褐带索、嚽菽饮水，恶能足之乎！既以伐其本，竭其原，而焦天下矣。

故先王圣人为之不然。知夫为人主上者，不美不饰之不足以一民也，不富不厚之不足以管下也，不威不强之不足以禁暴胜悍也。故必将撞大钟、击鸣鼓、吹笙竽、弹琴瑟以塞其耳；必将雕琢、刻镂、黼黻、文章、以塞其目；必将刍豢稻粱、五味芬芳以塞其口，然后众人徒、备官职、渐庆赏、严刑罚以戒其心。使天下生民之属，皆知己之所愿欲之举在是于也，故其赏行；杨注：是于犹言于是。皆知己之所畏恐之举在是于也，故其罚威。赏行罚威，则贤者可得而进也，不肖者可得而退也，能不能可得而官也。若是，则万物得宜，事变得应，上得天时，下得地利，中得人和，则财货浑浑如泉源，汸汸如河海，暴暴如丘山，不时焚烧，无所臧之，夫天下何患乎不足也？故儒术诚行，则天下大而富，使而功，撞钟击鼓而和。《诗》曰："钟鼓喤喤，管磬玱玱，降福穰穰。降福简简，威仪反反。既醉既饱，福禄来反。"此之谓也。故墨术诚行则天下尚俭而弥贫，非斗而日争，劳苦顿萃而愈无功，愀然忧戚非乐而日不和。《诗》曰："天方荐瘥，丧乱弘多。民言无嘉，憯莫惩嗟。"此之谓也。

此文辟墨子尚俭之过，可谓精极。盖墨子纯从消极着想，故对于财政，多偏重节流而不甚及于开源也。荀子之论则纯从积极着想，止求人之能善治，则无患乎物力之不足。故衣服宫室非特取其足而已，而又加以文饰焉。于是各尽其力，以从事，随其力之获而美与饰有等焉，荣与辱有分焉。则人各竞尽其力以求乎美饰。美饰之所至，精巧至焉。然而天下之美饰无有尽，则器物之精巧无有限，而财源之开发亦无有极。由是精器物以开财源，聚财货以精器物，而人类之进步乃永永无穷矣。荀子所谓"上得天时，下得地利，中得人和，则财货浑浑如泉源，汸汸如河海，暴暴如丘山"者，诚可谓善于形容者矣。就今日而言之，则以器物之精巧，故天文台之测验精确，而气候可以预知，是上得天时也。以器物之精巧，故一切农业矿产，获利无穷，是下得地利也。群策群力，以求进步，是中得人和也。而今日财源之发达为何如乎？若从墨子之俭，止求当时之足用而已。则民之劳力，惟耗于日用粗拙之业，乌有进化之可言哉？

(四) 对于非乐说之反对

《庄子·天下篇》：

> 墨子泛爱兼利而非斗，其道不怒。又好学而博，不异，不与先王同，毁古之礼乐。黄帝有《咸池》，尧有《大章》，舜有《大韶》，禹有《大夏》，汤有《大濩》，文王有辟雍之乐，武王、周公作《武》。

《荀子·乐论篇》：

> 夫乐者乐也，人情之所必不免也。故人不能无乐。乐必发于声音，形于动静，而人之道，声音动静，性术之变尽是矣。故人不能不乐；乐则不能无形；形而不为道，则不能无乱，先王恶其乱也，故制雅颂之声以道之，使其声足以乐而不流，使其文

足以辨而不諰；谢墉云：《礼记·乐记》作论而不息，此作諰乃諰之讹。使其曲直繁省廉肉节奏，足以感动人之善心；使夫邪污之气，无由得接焉。是先王立乐之方也。而墨子非之奈何？故乐在宗庙之中，君臣上下同听之，则莫不和敬；闺门之内，父子兄弟同听之，则莫不和亲；乡里族长之中，长少同听之，则莫不和顺。故乐者审一以定和者也，比物以饰节者也，合奏以成文者也；足以率一道，足以治万变。是先王立乐之术也。而墨子非之奈何？故听其颂雅之声，而志意得广焉；执其干戚，习其俯仰屈伸，而容貌得庄焉；行其缀兆，要其节奏，而行列得正焉，进退得齐焉。故乐者，出所以征诛也，入所以揖让也，其义一也。出所以征诛，则莫不听从；入所以揖让，则莫不服从。故乐者，天下之大齐也，中和之纪也，人情之所必不免也。是先王立乐之术也。而墨子非之奈何？且乐者，先王之所以饰喜也；军旅铁钺者，先王之所以饰怒也。先王喜怒皆得其齐焉，是故喜而天下和之，怒而天下畏之。先王之道，礼乐正其盛者也。而墨子非之。柱按：据上文当挽"奈何"二字。故曰：墨子之于道也，犹瞽之于黑白也，犹聋之于清浊也，犹欲之楚而北求之也。夫声乐之入人也深，其化人也速。故先王谨为之文。乐中平则民和而不流，乐肃庄则民齐而不乱。民和齐则兵劲城固，敌国不敢婴也。如是，则百姓莫不安其处，乐其乡，以致足其上矣。然后名声于是白，光辉于是大，四海之民莫不愿得以为师，是王者之始也。乐姚冶以险，则民流僈鄙贱矣。流僈则乱，鄙贱则争。乱争则兵弱城犯，敌国危之，如是则百姓不安其处，不乐其乡，不足其上矣。故礼乐废而邪音起者，危削侮辱之本也。故先王贵礼乐而贱邪音；其在序官也，曰："修宪命，审诛赏，禁淫声，以时顺修，使夷俗邪音不敢乱雅，太师之事也。"墨子曰："乐者圣王之所非也，而儒者为之过也。"君子以为不然，乐者圣王之乐也，而可以善民心；其感人深，其移风俗易。原作"其移风易俗"，王先谦云：《史记》作"其风移俗易"，语皆未了，此二语相俪，当是"其感人深，其移风俗易"，王校是，今据正。故先王导之以礼乐而民和睦。夫民有好恶之情，而无喜怒之应，则乱；先王恶其乱也，故修其行，正其乐，而天下顺焉。下略。

庄子虽未显斥墨子非乐之非，然历引黄帝尧舜禹汤文武周公之乐，则其意可知。至荀子之言，则可谓精辟矣。夫天地之道，一阴一阳，一昼一夜，此天地之所以有生物也。万物虽原乎阳光之力以生，然亦必有夜之阴以息之，而后可以生长。借令天地有阳而无阴，有昼而无夜，则必不能生物。何者？不待生而早已焦死矣。万物之生，本于天地之有阴阳昼夜，故万物之长，亦不能自违其道，而必有动静劳逸以为对待，而后生生之理具焉。此不独人为然，而于人为尤著。盖人之劳动其身心，比禽兽为甚，故其逸乐亦当比禽兽为甚。故禽兽之乐，止形之于口；而人之乐，则口之外并形于金石矣；此自然之势也。而墨子必欲去之，无乃逆于生物之原则乎？故墨子之非乐，不特当时诸子非之，即其弟子亦非之。《三辩篇》云：

> 程繁问于子墨子曰："夫子曰'圣王不为乐'。昔诸侯倦于听治，息于钟鼓之乐；士大夫倦于听治，息于竽瑟之乐；农夫春耕夏耘秋敛冬藏，息于聆缶之乐。今夫子曰'圣王不为乐'，此譬之犹马驾而不税，弓张而不弛，无乃乃下原有非字，据俞校改。有血气者之所不能至邪？"

此"驾而不税，张而不弛"二语，最足尽墨学之失。是非乐之说，虽墨子弟子亦不甚尊信之矣。盖墨子徒见天下之有苦，而不知天下之有乐。夫使天下之人，皆趋于苦而无有乐生之意，尚成何世界乎？善哉，荀子之非墨子也！曰："天下敖然，若烧若焦。"杨注：敖当读为熬。"熬然，若烧若焦"六字，可谓切中墨子之道。盖推墨子之意，必当使天地有昼而无夜，则人亦有作而无息，非使"天下熬然，若烧若焦"不止也。

（五）对于节葬说之反对

《庄子·天下篇》：

> 古之丧礼，贵贱有仪，上下有等，天子棺椁七重，诸侯五重，大夫三重，士再重。今墨子独生不歌，死不服，桐棺三寸而无椁，以为法式。以此教人，恐不爱人；以此自行，固不爱己。

《韩非子·显学篇》：

> 墨子之葬也，冬日冬服，夏日夏服，桐棺三寸，服丧三月，世主以为俭而礼之。儒者破家而葬，服丧三年，大毁扶杖，世主以为孝而礼之。夫是墨子之俭，将非孔子之侈也；是孔子之孝，将非墨子之戾也。今孝戾侈俭，俱在儒墨，而上兼礼之。

此反对墨子节葬之说，其理由固尤大足以动听者。

然以韩非之刻,犹以墨子为戾,本陈澧说。则墨子节葬之过,势必流于残忍可知。且墨子既节葬,而又明鬼,是矛盾之教也。王充《论衡·案书篇》云:

> 儒学之宗,孔子也。墨家之祖,墨翟也。且案儒道传而墨法废者,儒者之道义可为,而墨之法议难从也。何以验之?墨家薄葬右鬼,道乖相反,违其实,宜以难从也。乖违如何?使鬼非死人之精也,右之未可知。今墨家谓鬼,审人之精也;厚其精而薄其尸,此于其神厚而于其体薄也;薄厚不相胜,华实不相副,则怒而降祸。虽有其鬼,终以死恨。人情欲厚恶薄,神心犹然。用墨子之法,事鬼求福,福罕至而祸常来也。以一况百,而墨家为法,皆若此类也。废而不传,盖有以也。

王充之难,盖可谓切当。

(六)对于好辩之反对
《庄子·骈拇篇》:

> 骈于辩者,累瓦结绳,窜句游心于坚白同异之间,而敝跬誉无用之言,非乎?而杨、墨是已。

《庄子·天下篇》：

相里勤之弟子，五侯之徒，南方之墨者苦获、已齿、邓陵子之属，俱诵《墨经》，而倍谲不同，相谓别墨。以坚白同异之辩相訾，以觭偶不仵之辞相应。

此可见墨子之好辩，故后世之墨多以诡辩相胜。

（七）对于称道古昔之反对
《韩非子·显学篇》：

世之显学，儒墨也。儒之所至，孔丘也。墨之所至，墨翟也。自孔子之死也，有子张氏之儒，有子思氏之儒，有颜氏之儒，有孟氏之儒，有漆雕氏之儒，有仲良氏之儒，有孙氏之儒，有乐正氏之儒。自墨子之死也，有相里氏之墨，有相夫氏之墨，有邓陵氏之墨。故孔墨之后，儒分为八，墨离为三；取舍相反不同，而皆自谓真孔墨。孔墨不可复生，将谁使定世之学乎？孔子、墨子俱道尧舜，而取舍不同，皆自谓真尧舜；尧舜不复生，将谁使定儒墨之诚乎？殷周七百余岁，而不能定儒墨之真，今乃欲审尧舜之道于三千岁之前，意者其不可必乎？无

> 参验而必之者，愚也；弗能必而据之者，诬也。故明据先王，必定尧舜者，非愚则诬也。

此非儒墨之复古也。韩愈云："儒墨同是尧舜，同非桀纣。"而不知儒墨所言之尧舜之名虽同，而所以为尧舜之实者盖不同也。

总而论之，非墨者大约为儒道法三家。《淮南子·氾论训》："兼爱尚贤，右鬼非命，墨子之所立也，而杨子非之。"是杨朱亦非墨也。道家如庄周则毁誉各半，而对于墨子之人格则极称道之。法家如韩非，虽非之亦不甚力。惟儒家之孟、荀非之最甚，而荀卿为尤辩。盖墨之非儒最力，故儒之非墨亦最力。各欲为其术争胜，故破坚陷敌之词虽多，而两怒溢恶之言，亦时所不免也。然至汉之儒者，则颇有持平之论。

《史记·自序》、司马谈《论六家要指》："墨者俭而难遵，是以其事不可遍循。然其强本节用，不可废也。中略。墨者亦尚尧舜，道言其德行，曰：'堂高三尺，土阶三等，茅茨不剪，采椽不刮；食土簋，啜土刑，粝粱之食，藜藿之羹；夏日葛衣，冬日鹿裘；其送死桐棺三寸，举音不尽其哀。'教丧礼必以此为万民之率，使天下法。若此则尊卑无别也。夫势异时移，事业不同，故曰：俭而难遵。要其强本节用，则人给家足之道也。此墨子之所长，虽百家弗能废也。"

《汉书·艺文志》云："墨家者流，盖出于清庙之守；茅屋采椽，是以贵俭；三老五更，是以兼爱；选士大射，是以上贤；宗祀严父，是以右鬼；以孝视天下，是以上同；此其所长也。及蔽者为之，见俭之利，因以非礼；推兼爱之义，而不知别亲疏。"

此汉儒之论，司马谈父子或言其贵黄老，而非儒。然《史记》列孔子于世家，称为至圣，则亦儒也。可谓切中。岂非以汉武以后，儒术独尊，墨学已微，语非对敌，故易得其平欤？然自此以后，称之者亦少，惟昌黎韩愈奋起于唐，以孔墨并称，曰："辩生于末学，非二师之道本然。孔子必用墨子，墨子必用孔子；不相用不足为孔墨。"韩氏固最服膺孟子者，而独于此则不复顾孟子无父之斥、禽兽之称，毅然斥为末学之辩。其言虽无当于墨学，要不可谓无爱于墨子者矣！

历代墨学述评

孟子言杨朱、墨翟之徒盈天下,而《吕氏春秋·尊师篇》亦言"孔墨之徒属弥众,弟子弥丰,充满天下",则墨子之学其于战国之际,盖曾与杨朱共夺儒家之席。及杨氏学衰,亦尝与儒家中分天下,其盛盖可知矣。及秦焚书坑儒,而墨与诸子百家亦同受其厄。然汉兴,仲尼之言遂县诸日月,而诸子之籍亦渐见重于后世。老庄之徒,其盛万万不及墨子!然自汉以降,为老庄之学者亦几并孔孟。独墨子之书则传之者绝少,几有灭绝之忧,何哉?岂以其非乐节用,以"自苦为极,而其行难为"二语见《庄子·天下篇》。欤?抑亦老子所谓"柔弱胜刚强,强梁者不得其死",故墨衰而老盛欤?韩非子曰:"儒以文乱法,而侠以武犯禁。"儒者之文,于秦则为乱法,故痛绝之;自汉以后,则一变而为"随时抑扬,哗众取宠",二语见《汉书·艺文志》。故世主特尊宠之,岂真能尊孔子之道哉?至于墨者之学,则侠也;陈澧云:墨子之学,以死为能事,战国侠烈之风盖出于此。详《东塾读书记》。其自苦既为学者所难能，而以武犯禁，又为法纲所甚恶；且其名理异同之辩，已为学术统一后所不需；器械攻守之具，尤为国家统一以后所大忌；则其学虽欲不微，其可得乎？

《墨子·公输篇》，墨子说楚王曰："臣之弟子禽滑釐三百人，已持臣守圉之器，在宋城上而待楚寇。"此盖墨子之高弟，常随侍左右者，犹孔子之有七十子，非墨子之弟子止于三百也。其后淮南王书亦称墨子服役者百八十人。其弟子姓氏可考者，据孙氏诒让所考有十有六人：一禽滑釐，二高石子，三高何，四县子硕，五公尚过，六耕柱子，七魏越，八随巢子，九胡非子，十管黔敖，十一高孙子，十二冶徒娱，十三跌鼻，十四曹公子，十五胜绰，十六彭轻生子。再传弟子三人：一许犯，二索卢参，皆学于禽滑釐；三屈将子，学于胡非子。三传弟子一人：田系，学于许犯。此二十人皆传授可考者也。而此二十人中，魏越原非人名，详见拙著《墨子间诂补正》。则可考者十九人而已。其余墨学名家，有田俅子、相里子、相夫氏、邓陵子、苦获、已齿、侯子、我子、缠子之徒，墨家巨子有孟胜、田襄子、腹䵣，其墨学杂家又有夷之谢子、唐姑果之属。皆见孙氏《墨语》。就中惟随巢子著书六篇，胡非子著书三篇，田俅子著书三篇，我子著书一篇，见于《汉书·艺文志》；相里子著七篇，邓陵子亦有著书，见于《姓纂》引韩子语；缠子有著书，见于《意林》。其余皆未闻有著述。即此诸家所著述，其书亦皆已不传。今墨子书五十三篇，在宋为六十三篇，在汉为七十一篇，则其亡者亦多矣。今墨子书盖皆不尽墨子作，或者墨子弟子之作，亦有所附益欤？古之著书，非同后世之为名也。故为某家之学者，其所为文，即往往附于本师。故管子之书非尽管子之作，为管子之学者均有焉。庄子之书亦非尽庄子之作，为庄子之学者均有焉。此非古人之伪增也，其风尚体例盖如此也。周秦之书，盖大抵类是。其学可为一家之学，其文多非一手之文，故居今日而读古书，以谓某书必为某人一手之作者非也，见其偶有牴牾，则遂斥以为后人之伪者，亦非也。故吾于墨子之书，其醇粹者固可定为墨子之语；而年代偶有差误，言语或有驳杂者，亦可知其为后之为墨学者之所增益；后之为墨学者之书虽不传，然亦可由是而睹其一斑矣。

古之为学者，有自鸣其一家之文，无为其师说作章句之书。故荀孟不闻为孔子书作注疏。孔子之于《易传》，亦止明大义而已。韩非子有《解老》《喻老》，墨子书有《经说》，皆说大义，非章句之学也。故墨子一传再传诸弟子之书虽不传，然其必无章句之书则可知也。

章句之学，始于汉儒。然无为墨子作注者。至晋，鲁胜始为《墨辩》作注。《墨辩》者，墨子书之一部分，即今之《经》上下及《经说》上下四篇也。兹录其叙云：

名者所以别同异，明是非，道义之门，政化之准绳也。孔子曰："必也正名，名不正则事不成。"墨子著书，作《辩经》以立名本。惠施、公孙龙祖述其学，以正别，孙星衍校改刑。名显于世。孟子非墨子，其辩言正辞，则与墨同。荀卿、庄周等皆非毁名家，而不能易其论也。名必有形，察形莫如别色，原"必"上无"名"字，"察"下无"形"字，从孙诒让校增。故有坚白之辩。名必有分明，分明莫如有无，故有无序之辩。是有不是，可有不可，是名两可。同而有异，异而有同，是之谓辩同异。至同无不同，至异无不异，是谓辩同辩异。同异生是非，是非生吉凶；取辩于一物，而原极天下之污隆，名之至也。自邓析至秦时名家者，世有篇籍，率颇难知，后学莫复传习；于今五百余岁，遂亡绝。《墨辩》有上下《经》，《经》各有《说》，凡四篇，与其书众篇连第，故独存。今引《说》就《经》，各附其章，疑者阙之。又采诸众杂集为《刑名》二篇，孙诒让云："刑"当作"形"。略解指归，以俟君子。其或兴微继绝者，亦有乐乎此也！《晋书·隐逸传》。

名学为一切学术之基本，故孔、孟、老、庄、荀、墨之徒，莫不讨论其学。盖以非此则其学说无由而成立。此西人所以谓名学为科学之科学也。见王国维译英国随文《辨学》。然至于汉儒已不为所重，故诸子名学之书皆不显。唯晋鲁胜独能致意及此。墨子之书，世儒之所轻也；而《墨经》上下、《经说》上下四篇，则轻中之尤轻者也；彼鲁胜者，独能为之于举世不为之日，怀兴微继绝之志，岂非人杰之士乎？然推求其因，或亦受释老之影响，与夫当日清谈之风气使然欤？陈澧《东塾读书记》于"坚白异同之说"条注云：后世谈玄谈禅者，皆有类于此。然鲁胜书据其序则当甚可观，而其书亦已不传，岂非以世儒学重浮华，崇文而弃质故邪？故晋人所注之《老》《庄》至今完好，而《墨辩》之注阙焉。

虽然，鲁胜之书，止墨子书之四篇而已。其为全书作注者则概乎其未之有闻。至宋郑樵《通志·艺文略》始言有《乐台注》，其书已亡，无由论述。迄清乾隆间，硕学辈出，考证之学大兴。学者始以治经之余，校注子籍。注《墨》之书，毕沅实为之导其先路。其《自序》云：

> 先是仁和卢学士文弨、阳湖孙明经星衍，互校此书，略有端绪；沅始集其成，因遍览唐宋类书古今传注所引，正其讹谬；又以知闻疏通其惑。

此毕书之大略也。孙星衍序之云：

> 弇山先生于此书，悉能引据传注类书，匡正其失；又其古字古言，通以声音训故之原，豁然解释。是当与高诱注《吕氏春秋》、司马彪注《庄子》、许君注《淮南子》、张湛注《列子》，并传于世。其与杨倞、卢辩空疏浅略，则偶然过之。时则有仁和卢学士抱经、大兴翁洗马覃谿，及星衍三人者，不谋同时为其学，皆折衷于先生。

足以见此书当时之价值矣。然疏失之处，亦正不少。

一，好以儒言傅会。如：《亲士篇》："君子进不败其志，内究其情。"毕云："旧脱'不'字，据上增；疢究同，犹云'内省不疢'。"而不知古文"退"字作"衲"，从"内"声，"内"即"衲"之省假。俞樾谓"内"当作"衲"，其说是也，其改字非也。"进不败其志，而退究其情"，正足见墨子进退勇于为道之决心，非内省不疢之消极主义也。又《亲士篇》云："虽杂庸民，终无怨心。"毕注云："言遗佚不怨。"而不知此谓志在救世，虽穷而在野，与庸民杂居，亦无怨也。凡此皆傅会儒言之失。

二，引据类书尚多漏略。如：《法仪篇》云："昔之圣王禹汤文武兼爱天下之百姓。"毕注云："旧脱'爱'字，以意增。"而不知《群书治要》所引正有"爱"字也。刘师培说。《七患篇》："大臣不足以事之。"毕注云："旧脱'以'字，一本有。"而不知《群书治要》所引正有"以"字也。见孙氏《间诂》。

三，征引尚多未备。古字古言，通以声音训故之原，为毕书得意之作。如《耕柱篇》云："古者周公非关叔。"毕注云："'关'即'管'字假音；一本改作'管'，非是。《左传》云'掌其北门之管'，即关也。"毕说是也。然，《说文·木部》："棺，关也，从木，官声。"管亦从官声，则从官声有关义可知。此"关""管"相通之最要义证，而毕氏未之及焉。

此外疏漏尚多。读孙氏《间诂》，自能知之。兹不复一一。至其对于墨子之评论，则尤为非是。其《自叙》云：

> 非儒则由墨氏弟子尊其师之过，其称孔子讳及诸讳词，是非翟之言也。案他篇亦称孔子，亦称仲尼，又以为孔子言亦当而不可易，是翟未尝非孔子；孔子之言多见《论语》《家语》及他纬书传注，亦无斥墨之词。

据毕说则墨子殆不道孔子讳，必事孔子如师也，有是理乎？孙星衍承其说而为之叙其书，竟引《淮南子·要略训》云，"墨子学儒者之业，受孔子之术，以为其礼烦扰而不说，厚葬靡财而贫民，久服伤生而害事，'久'字旧脱，据王念孙校增。故背周道而用夏政"，以为墨出于儒之证。而不知淮南之所谓"受"与"学"者，盖犹今之所谓"读"。读其书而知其是非，非必师事之也。

孙星衍、卢文弨二家之注已见毕书中。毕书集其成，而其简略尚如前之所云，则卢、孙之简略，更不足论矣。

同时又有汪中，亦治墨学。其书今不传，惟见其序于《述学》耳。然就其叙言之，其书必大有可观者。其序略云：

> 《墨子》七十一篇，亡十八篇，今存五十三篇。明陆稳所叙刻，视他本为完，其书多误字，文义昧晦，不可读。今以意粗为是正，阙所不知；又采古书之涉于墨子者，别为表微一卷。
>
> 今定其书为内外篇，又以其徒之所附著为杂篇。仿刘向校《晏子春秋》例，辄于篇末述其所以进退之意，览者详之。

则汪书之内容，与诸家之不同，盖可知矣。至其持论亦比毕、孙为精通。

墨子之学，其自言者曰："国家昏乱，则语之尚贤尚同；国家贫，则语之节用节葬；国家喜音沉湎，则语之非乐非命；国家淫僻无礼，则语之尊天事鬼；国家务夺侵陵，则语之兼爱非攻。"此其救世亦多术矣。《备城门》以下，临敌应变，纤悉周密，斯其所以为才士与？传曰："世之学老子者，则绌儒学；儒学亦绌老子。"惟儒墨则亦然，儒之绌墨子者孟氏荀氏；自注：《艺文志》董无心一卷，非墨子，今亡。孔丛诘墨伪书不数之。荀之《礼论》《乐论》，为王者治定功成盛德之事；而墨之《节葬》《非乐》所以救衰世之敝；其意相反，而相成也。若夫兼爱特墨之一端，然其所谓兼者，欲国家慎其封守而无虐其邻之人民畜产也。虽昔先王制为聘问吊恤之礼，以睦诸侯之邦交者，岂有异哉？彼且以兼爱教天下之人子者，使以孝其亲，谓之无父，斯已枉矣。后之君子，日习孟子之说，而未睹墨子之本书，其以耳食，无足怪也。世莫不以其诬孔子为墨子罪。虽然，自今言之，孔子之尊，固生民以来所未有矣；自当日言之，则孔子鲁之大夫也，而墨子宋之大夫也，其位相埒，其年又相近，其操术不同，而立言务以求胜，虽欲平情核实，其可得乎？是故墨子之诬孔子，犹孟子之诬墨子也，归于不相为谋而已矣。吾读其书，惟以三年之丧为败男女之交，有悖于道；至其述尧舜，陈仁义，禁攻暴，止淫用，感王者之不作，而哀生民之长勤，百世之下，如见其心焉。《诗》所谓"凡民有丧，匍匐救之"之仁人也。其在九流之中，惟儒足与之相抗；其余诸子，皆非其比。历观周汉之书，凡百余条，并"孔墨""儒墨"对举；杨朱之书，惟贵放逸，当时亦莫之宗，跻之于墨，诚非其伦。自墨子没，其学离而为三，徒属充满天下；吕不韦再称巨子；自注：《去私篇》《尚德篇》。韩非谓之显学；至楚汉之际而微。《淮南子·氾论训》。孝武之世，犹有传者见于司马谈所述，于后遂无闻焉，惜夫！以彼勤生薄死，而务急国家之事，后之从政者，固宜假正议以恶之哉？

其谓墨子之诬孔子，犹孟子之诬墨子，虽似太过；然当时诸子尚未定于一尊，则互相非距，不免流于偏激，亦势所必然者。故墨子之不尊孔子，本不宜为墨子讳；汪氏之见，盖卓于毕、孙远矣。

汪氏持论虽精于毕、孙，然其注今不传，未知其果能胜毕书否？自毕以后，则有王念孙，其书成于道光间。王氏为逊清考证学巨子，故其成就尤远在诸家之上。今节录其《墨子杂志叙》如下：

是书错简甚多，卢氏所已改者，唯《辞过篇》一条。其《尚贤下篇》《尚同中篇》《兼爱中篇》《非乐上篇》《非命中篇》及《备城门》《备穴》二篇，皆有错简，自十余字至三百四十余字不等。其他脱至数十字，误字，衍字，颠倒，及后人妄改者尚多；皆一一辨正之，以复其旧。此外脱误不可读者尚复不少。

盖其书有四大特色：（一）改正错简。如自叙所举诸篇是也。（二）发明古义。如《非儒篇》云："曩与女为苟生，今与女为苟义。"毕氏读为苟且之"苟"，而王氏以《说文》训"自急敕之筍"正之，是也。（三）因传写之讹以考见古字。如《尚贤中篇》："贱傲万民"。"贱傲"二字，义不可通。王氏以"贱"为"贼"之讹；"杀"字古文作"㪉"，与"敖"相似，知"㪉"讹作"敖"，又讹作"傲"是也。（四）阐明同声通假之字。如《尚贤中篇》："故不察尚贤为政之本也。"王氏引《管子·侈靡篇》"公将有行，故不送公"，以明"故""胡"通用，是也。有此四者，故墨书至王氏而大略可读矣。然其误解者亦时或有之。兹举一二例如下：

一，《天志中篇》："雷降雪霜雨露。"王注云："'雷降雪霜雨露'，义不可通。'雷'盖'賈'字之讹，'賈'

与'陨'同,《春秋经》庄七年'星陨如雨',《公羊》'陨'作'霣'。"按王氏改"雷"为"霣",非也。考《说文·雨部》,霣下云:"齐人谓雷为霣,从雨,员声。""雷",《说文》作"靁",籀文作"䨻"云:靁间有回,䨻声也。盖"回""员"双声,故"雷""霣"同字;假"霣"为"陨",为同声之假;假"雷"为"陨",为双声之假;其理同也。王氏必以"雷"为"霣"之误,此于古音考之未审之过也。

二,《非攻下篇》:"以诤诸侯之毙。"王云:"'诤'涉下文诸字从言而误,今改。"按王氏改"诤"为"争",非是。《说文·言部》:"诤,止也。"《攴部》:"救,止也。"然则"诤""救"同义。"以诤诸侯之毙",犹云,"以救诸侯之毙",义自可通,何劳改字?此于古义考之未审之过也。

墨子书虽至王氏而略已可读,然《经》上下及《经说》上下四篇,函义既奥博,讹脱尤众;毕、王之书,尚未能得其十之一二也。武进张惠言则有《墨子经说解》,以专释此四篇。其书据其后叙,成于乾隆五十七年。然其书未尝刊布,至光绪丁未,孙诒让始得校写本,以其说入于《间诂》;乙酉岁,国学保存会始有景印本。其书先列《经上》旁行为一篇,而后以《经说》上附《经上》为一篇,为上卷;《经下》旁行为一篇,又以《经说下》

附于《经下》为一篇，为下卷。其注均用单行小字。其书之得失，孙诒让论之甚允。孙氏云：

> 余前补定《经下篇》句读，颇自矜为创获，不意张先生已先我得之。其解善谈名理，虽校雠未审，不无望文生义之失，然顾有精论，足补余书之阙误者。

至其后序立论尤多精辟。今节录如下：

> 当孟子时，百家之说众矣，而孟子独距杨、墨。今观墨子之书，《经说》、大小《取》尽同异坚白之术，盖纵横名法家惠施、公孙龙、申、韩之属皆出焉。然则当时诸子之说，杨、墨为统宗。孟子以为杨、墨息而百家之学将销歇而不足售也。独有告子者与墨为难而自谓胜为仁，故孟子之书亦辩斥之。呜呼！孰知其后复有烈于是者哉！墨子之言，悖于理而逆于人心者，莫如非命、非乐、节葬。此三言者，偶识之士可以立折，而孟子不及者，非墨之本也。墨之本在兼爱；而兼爱者，墨之所以自固而不可破。兼爱之言曰："爱人者，人亦爱之；利人者，人亦利之。仁君使天下聪明耳目，相为视听；股肱毕强，相为动宰。"此其与圣人所以治天下者复何以

异。故凡墨氏之所以自托于尧禹者兼爱也。尊天，明鬼，尚同，节用者，其支流也。非命，非乐，薄葬，激而不得不然者也。天下之人惟惑其兼爱之说，故虽悖于理不安于心，皆从而和之，不以为疑。孟子不攻其流而攻其本，不诛其说而诛其心，断然被之以无父之罪，而其说始无以自立。

其论孟子辟墨不辟其他说，而独辟兼爱，可谓得擒贼先擒王之旨者矣。张氏之外，治经说四篇者，尚有丁小山，定本《墨子间诂》作"小疋"；聚珍本作"小山"。柱按：据孙志祖《读书脞录》作"小山"，则定本误也。许周生二家之书。见孙志祖《读书脞录》。小山名杰，周生名宗彦，并德清人，孙诒让云：然其书今皆未流布，不知尚存否也。

继毕、王而为全书校释者，有苏时学著有《墨子刊误》。其书刊于同治丁卯。孙诒让与梁启超书，见《籀高述林》，原题"梁卓如"。称其书为专门之学。陈澧为之跋云：

> 苏爻山以所著《墨子刊误》见示，正讹字，改错简，涣然冰释，怡然理解；而《备城门》以下尤详。墨子以善守称，《备城门》诸篇，乃其法也。此又兵书之最古者。墨子之书害道；而爻山乃能取其长，探其奥，真善读古书者。

观陈、苏两家所称道,则其书之足重可知。然以余观之,亦有巨失。

一,笃信《伪尚书》,故往往据《伪尚书》而误解《墨子》。如《非命中篇》:"《仲虺之诰》曰:我闻有夏人,矫天命,布命于下;帝式是恶,用阙师。"苏氏云:"此与上下二篇所引,略见孔书,而其词稍异;所引《太誓》亦然,真古文也。而世必以古文为伪,何欤?岂作书者不能雷同以征信,反加点窜以致疑欤?抑孔书不足信,而墨子亦不足信欤?"此说孙氏《间诂》未载入。其笃信古文如此。故于《非命下篇》:"为鉴不远,在彼殷王",苏云:"殷"宜作"夏"。《泰誓》曰:"厥鉴惟不远,在彼夏王。"引《伪书》欲改"殷"为"夏",而不知作书者剿袭墨子。墨子所引之《泰誓》,乃伐纣后告戒之辞,此简朝亮说,见《尚书集注述疏》卷末伪古文。而作伪者乃以为伐纣时之言,故改"殷"为"夏"也。

二,小学非其所长,故所说时或不免于陋。如《亲士篇》云:"谿陕者速涸"。苏《注》云,"陕与狭通",此说孙氏《间诂》不录。而不引《说文·𨸏部》"陕,隘也"为释,以明狭为陕之俗。《尚贤篇》:"是在王公大人为政于国家者,不能以尚贤事能为政也。"苏《注》云:"事当为使,二字形近而讹。"而不知古"事""使"同为一字,见于金文也。见吴大澂《说文古籀补》。

至其本书校勘之疏，尤为他书所罕见。如"则子西、易牙、竖刁之徒是也"，乃《所染篇》之文，而录入《法仪篇》。《修身篇》"虽劳不图"，而注竟以"畐"为"图"，皆未改正。刊书草率，未免太甚。馀详余所著《墨子刊误刊误》。兹不赘。

苏书，孙氏《间诂》采取甚众。然亦间有不录者，如上所举二例之类是也。然苏书行世甚少，世之得见其书者盖亦寡矣。

与苏氏同时而治墨学者，有邹伯奇、陈澧。孙诒让与梁启超书称其学云：

> 《经》上下、《经说》上下及大小《取》六篇，文义既苦奥衍，章句又复裒贸。昔贤率以不可读置之。父山即苏时学。刊误，致力甚勤，而于此六篇竟不著一字。专门之学，尚复如是，何论其他？唯贵乡先达兰甫、陈澧。特夫邹伯奇。两先生，始用天算光重诸学发其旨。惜所论不多，又两君未遘精校之本，故不无望文生训之失。

盖以泰西科学释《墨经》，实始于邹、陈二君矣。邹说多载于陈氏《东塾读书记》，孙氏《间诂》采之，多题为陈说；此学者所当知者也。陈氏对于墨子，亦有极精辟之言。兹节录其三则如下：

诸子之学，皆欲以治天下。而杨朱之计最疏，墨翟之计最密。杨朱欲人不贪，然人贪则无如之何。老子欲人愚，然人诈则无如之何。商鞅、韩非皆欲人畏惧，而自祸其身。墨翟兼爱非攻，人来攻则我坚守。何以为守？蕃其人民，积其货财，精其器械，而又志在必死，则可以守矣。此墨翟之所长也。

孟子谓墨子无父，尝疑其太甚，读墨子书而知其实然也。墨子书云：公孟子曰："三年之丧，学吾子之慕父母。"子墨子曰："夫婴儿子之知，独慕父母而已。父母不得也，然号而不止，此其故何也？即愚之至也。然则儒者之志，岂有贤于婴儿子哉？"自注：《公孟篇》。此之谓无父。

韩非子云："墨者之葬也，冬日冬服，夏日夏服，桐棺三寸，服丧三月。儒者破家而葬，服丧三年，大毁扶杖。夫是墨子之俭，将非孔子之侈也；是孔子之孝，将非墨子之戾也。"自注：《显学篇》。韩非犹以墨子为戾，孟子谓之无父，不亦宜乎？盖专欲富国强兵，遂至于戾而无父而不顾。是则墨子之学矣。"

其论墨学之得失，可谓深得要领矣。继苏氏之后而为全书之考证者，有俞樾著有《墨子平议》，刊布于同治庚午。其书精博与王念孙书等，且后出于王书，故足补王书之所未备者甚众。然疏失之处，亦时或不免。姑举一二如下：

一，《兼爱中篇》云："虽然，天下之难物于故也。""于"旧本作"於"。俞云："'于故'二字疑衍。"而不知"於"道藏本作"于"；"于"有大义，故从"于"之字，均有大义。《说文·大部》："夸，奢也，从大，亏声。"段玉裁注云："奢，张也。"是"于"有张大之义。《艸部》："䓈，大叶实根骇人，故谓之䓈也；从艸，亏声。"段《注》云："《口部》，'吁，惊也'，《毛传》曰'訏，大也'，凡于声多训大。"然则"于故"犹言"大故"也。《吕氏春秋·节丧篇》"不以便死为故"，《注》云："故，事也。""大故"犹"大事"也，"难物""大事"，正相对为文，岂得谓之衍字乎？此俞氏于古人语根未及深求之过也。

二，《节用上篇》云："冬加温，夏加清者，芊䯂不加者去之。""芊䯂"二字，学者多不得其解。俞云："'芊䯂'疑当作'鲜且'。'鲜且'者，鲜䶊也。《说文》：'《黹部》，䶊，合五采鲜色；从黹，虐声。'鲜色谓䶊；故合而言鲜䶊。"而不知《中篇》皆作"则止"。"鲜䶊"或可误为

"芉俎"，而断无可误为"则止"之理。予以谓俞氏以"芉俎"为"鲜且"，其字则是，其义则非也。"鲜""斯"双声，古多通用。《易·系辞》"君子之道鲜矣"，《诗》"鲜民之生"，"鲜"均当为"斯"之转。《说文·且部》："且所以荐也；从几，足有二横，一其地下也。且古文且字，又以为几字。"几者，人之所止。故且有止义。如阻、沮等均有止义。然则此文之鲜"且"，其义犹云"斯止"也。详拙著《墨子间诂补正》。若俞氏之说，则未免深求之过矣。

自毕氏至俞氏八九十年间，墨学已日臻完备。然自毕书外，汪书不传，其余均不列入《墨子》原文。故著者虽众，散见各家之书，未便学者研诵，其于墨学犹未为大功也。后俞书二十五年，乃有孙诒让之书，取许叔重题注淮南王书曰《鸿烈间诂》之义，名其书为《墨子间诂》；博采诸家之说，录入《墨子》本文之下。俞樾序其书云：

> 唐以来，韩昌黎外无一人能知墨子者。传诵既少，注释亦稀；乐台旧本，久绝流传；阙文错简，无可校正；古言古字，更不可晓；而墨学尘薶终古矣。国朝指逊清。镇洋毕氏始为之注；嗣是以来，诸儒益加雠校，涂径既辟，奥窔粗窥；墨子之书，稍稍可读。于是瑞安孙诒让仲容，乃集诸书之大成，著《墨

子间诂》；凡诸家之说，是者从之，非者正之，阙略者补之；至《经说》及《备城门》以下诸篇，尤不易读；整纷剔蠹，脉摘无遗，旁行之文，尽还旧观；讹夺之处，咸秩无紊。盖自有《墨子》以来，未有是书也。

俞氏之说，诚非溢美之谈。然孙氏书实有两种：一为聚珍本，于光绪乙未在苏州毛上珍印行；二为定本，即今通行之本，镂版于光绪丁未。两者各有长短，孙氏自书定本云：

余续勘得剩义百余事，有误读误释，覆勘始觉之者，咸随时迻录别册存之。此书最难读者莫如《经》《经说》四篇。余前以未见皋文先生《经说解》为憾。一日，得如皋冒鹤亭孝廉广生书云："武进金湝生运判武祥，藏有先生手稿本。"急属鹤亭驰书求假录。金君得书，则自写一本寄赠，得之惊喜累日。既又从姻戚张文伯孝廉之纲许假得阳湖杨君保彝《经说校注》，亦间有可取。因张解并删简补录入册。

是定本所网罗殆富于聚珍本矣。然就版本之校勘而论，则聚珍本之错误少于定本。兹略举一二如下：

一，本文之脱误。如《尚同中篇》："以求兴天下之害。""兴"下脱"天下之利除"五字。本作"以求兴天下之利，除天下之害"。各本均同。聚珍本不脱，而此独脱。

二，注文之脱误。如《尚贤上篇》："文王举闳夭、泰颠于罝罔之中。"《注》引毕云，"或以《诗·兔罝》有公侯腹心之诗而为之说"云云。"之"字下"诗"字，毕本原作"语"；此误为"诗"，而聚珍本则不误。

此则聚珍本比定本为优者矣。然亦有聚珍本误而定本不误者，要在少数而已。兹略不举焉。

孙书内容共四种。一间诂十五卷，二目录一卷，三附录一卷，四后语二卷，共十有九卷。于墨学之故训及学说等，可谓甚备。盖不独孙氏之学力使然，亦时势所使然也。盖治《墨子》者日多，其说亦日备，故孙氏得以集其大成之功耳。

孙书所采，则前此治《墨》者尚有洪颐煊及戴望。其说无多，今不论焉。

至孙氏之对于墨子学说，亦颇有持平之论。其自序云：

身丁战国之初，感悕于犷暴淫侈之政。故其言谆复深切，务陈古以剀今，亦喜称道《诗》《书》，及孔子所不修《百国春秋》；唯于礼则右夏左周，欲变文而反之质；乐则竟屏绝之；此其与儒家四术六艺必不合者耳。至其接世务为和同，而自处绝艰苦；持之太过，或流于偏激，而非儒尤为乖鳌，然周季道术分裂，诸子舛驰；荀卿为齐鲁大师，而其书《非十二子篇》，于游、夏、孟子诸大贤，皆深相排笮。洙泗龂龂，儒家已然；儒墨异方，跬武千里，其相非宁足异乎？综览厥书，释其纰驳，甄其纯实可取者，盖十之六七；其用心笃厚，勇于振世救敝，殆非韩、吕诸子之伦比也。

稍后于孙氏而研究墨学者，有章炳麟，梁启超。章氏精训诂及佛乘，故所言多独到之处。惟无专书，略见于《国故论衡》《原名篇》而已。如云：

《墨经》曰："知而不以五路，《说》在久。"《说》曰："智者若疟病之之于疟也，自注：上之字训者。智以目见，而目以火见，而火不见，惟以五路知，久，不当以目见，若以火。"此谓疟不自知，病疟者知之；火不自见，用火者见之；是受想之始也。受想不能无五路，及其形谢，识笼其象，而思能造作。见无待于天官，天官之用亦若火矣。五路者若浮屠所谓九缘：一曰空缘，二曰明缘，三曰根缘，四曰境缘，五曰作意缘，六曰分别缘，七曰染净依，八曰根本依，九曰种子依。自作意而下，诸夏之学者不亟辩，泛号曰智。目之见，必有空明根境与智；耳不资明；鼻身不资空；独目为具五路。既见物已，虽越百旬，其像在；于是取之，谓之独影。独影者知声不缘耳，知形不缘目，故曰不当。不当者不直也，是故赖名。曩令所受者逝，其想亦逝，即无所仰于名矣。此名所以存也。

其解说颇精，大抵类此。

然自毕氏以来，为墨学者或整理全书，或书中之一部分。虽各有精审之处，然大抵皆训故章句之学，而于墨子之学说，评论者不过寥寥千百言之叙文，略见己意而已。言墨子之非者，固自有其卓识；而言墨子之是者，亦多游移于孟墨之间，未有大声疾呼，提倡墨子学说者也。有之，自梁启超始。其于清末撰《新民丛报》时，曾作《墨学微》。其发端叙论云：

> 新民子曰：今举中国皆杨也。有儒其言而杨其行者，有杨其言而杨其行者，甚有墨其言而杨其行者，亦有不知儒、不知杨、不知墨、而杨其行于无意识之间者。呜呼！杨学遂亡中国！杨学遂亡中国！今欲救之，厥惟学墨；惟无学别墨，而学真墨。作《子墨子学说》。

以墨学为救国之学说，虽似言毒人所未言，然俞樾于序孙氏《间诂》云：

> 嗟乎！今天下一大战国也！以孟子反本一言为主，而以墨子之书辅之，倘亦足以安内而攘外乎？

则俞氏早已见及此。唯俞氏之说，似偏于战守之具，而梁氏则大倡其学说耳。梁氏书第一章《墨子宗教思想》，第二章《墨子之实利主义》，第三章《墨子兼爱主义》，言论颇为清晰。胡适谓其能引起多数人对于墨学之新兴趣，其言良是。梁氏至民国十年，复刊行其《墨子学案》，盖为清华学校演讲而作者。其书第一章《总论》，第二章《墨子之根本观念》，第三章《墨子之实利主义及其经济学说》，第四章《墨子之宗教思想》，第五章《墨子之新社会组织法》，第六章《实行的墨家》，第七章《墨家之论理学及其他科学》，第八章《结论》，并附有《墨者及墨学别派》《墨子年代考》。梁氏自序谓与《墨学微》，全异其内容云。

梁氏又别有《墨经校释》，刊布于民国十一年。其书一《自序》，二《凡例》，三《余记》，四《正文》，五《旁行原本》，六《经上之上、经说上之上》，七《经上之下、经说上之下》，八《经下之上、经说下之上》，九《经下之下、经说下之下》,十《胡序》。此为张惠言后专释《墨经》之巨著。盖梁氏前二书为提倡墨子学说之论述,后一书为校释《墨子》一部分之著作。前者近于义理之学,后者近于考据之学也。兹将梁书分别论之。先略举《墨学微》及《墨子学案》之一二例如下:

一,梁氏于《墨学微》论墨子之政术,及《墨子学案》论墨子之新社会组织法,均引墨子《尚同上篇》选立天子之说,以为与卢梭《民约》绝相类,谓选立为人民选择而立。其《墨学微》云:

> 其谓明乎天下之乱生于无正长。故选择贤圣立为天子,要从事乎一同。谁明之?民明之。谁选择之?民选择之。谁立之?谁使之?民立之,民使之也。然则墨子谓国家为民意所公建,其论甚明。中国前此学者言国家所以成立,多数主张神权起源说、家族起源说;惟墨子以为纯由公民意所造成,此其根本的理想与百家说最违异者也。

其《墨子学案》且举墨子建立巨子之法,以为例证;而不知此乃大谬特谬。孟胜之传巨子,全为个人之传授;不足以明其为民选,适足证其为独断也。余以谓墨子之所谓选立者,乃言天之选立,非谓由人民选立也。举证如下:

甲,《墨子·尚同上篇》云:"古者民始生未有刑政之时,盖其语人异义,是以一人则一义,二人则二义,十人则十义,其人兹众,其所谓义者亦兹众,是人是其义而非人之义,故交相非也;是以内者父母兄弟作怨恶,离散不能相和合;天下之百姓皆以水火毒药相亏害;至有余力不能相劳,腐朽余财不以相分,隐匿良道不以相教;天下之乱若禽兽然。夫明虖天下之所以乱者,生于无政长;是故选天下之贤可者,立以为天子;天子立以其力为未足,又选择天下之贤可者,置立之以为三公;天子三公既以立,以天下为博大,远国异土之民,是非利害之辩,不可一二而明,故画分万国,立诸侯国君;诸侯国君既已立,以其力为未足,又选择其国之贤可者置立之以为正长。"此段诸"选立"字,且置其选立天子之说而不论;而论其他之选立三公,立诸侯国君,选立正长,果为谁之选立乎?其云:"天子立以其力为未足。"又云:"天子三公既以立,以天下为博大。"又云"诸侯国君既以立,以其力为未足"云云;此诸所谓"以为"者,天子三公以为也,诸侯国君以为也。其文义甚明。然则下文接言"选立",乃天子选立三公;天子三公立诸侯国君;诸侯国君选立正长;甚明。此皆由尊立卑,则墨子之意,以选立天子归之于天，可知。

乙，《墨子·天志上篇》云："庶人竭力从事，未得次己而为政，有士正之；士竭力从事，未得次己而为政，有将军大夫政之；将军大夫竭力从事，未得次己为政，有三公诸侯政之；三公诸侯竭力听治，未得次己而为政，有天子政之；天子未得次己而为政，有天政之；天子为政于三公诸侯士庶人，天下之士君子固明知；天之为政于天子，天下之百姓未得之明知也。"此文云："有天政之"，云"天之为政于天子"，是明以天为天子之上司。而此文所云，亦皆为以尊政卑，与《尚同上篇》所云以尊选卑者，文同一例。则彼虽不明言天选立天子，而以此文例之，则墨子之意，固以天选立天子，甚明也。

丙，《尚同下篇》云："此皆是其义，而非人之义，是以厚者有斗，而薄者有争。是故天下之欲同一天下之义也；是故选择贤者立为天子。"孙诒让云：上"天下"二字，疑当作"天"。柱按：孙说是也。然则，此岂非墨子以选立归之天之确证乎？又《尚贤中篇》云："然则富贵为贤以得其赏者谁也？曰若昔者三代圣王尧舜禹汤文武者是也。所以得其赏何也？曰：其为政乎天下也，兼而爱之，从而利之；又率天下之万民，以尚尊天事鬼，爱利万民；是故天鬼赏之，立为天子，以为民父母。"此则明明言天鬼立天子矣。尚可谓之民选邪？尚可谓为无神权说邪？

丁，《尚同上篇》既云"一人一义，二人二义，十人十义"，倘选立者为人民，则一人选一人，二人选二人，十人选十人，安能选出一人，立以为天子者乎？

要之，墨子此论，假令以为民选天子，则亦决非初民政治所能，有违事实；如以为天选，亦远不及柳子厚《封建论》为有合于理。梁氏于此等处，均未阐发，不免多阿所好之言。

一，梁氏《墨子学案》第三章论墨子之实利主义，及其经济学说有一段云：

> 我想现在俄国劳农政府治下的经济组织，很有几分实行墨子的理想。内中最可注意的两件事：第一件，他们的衣食住，都由政府干涉：任凭你很多钱，要奢侈也奢不来；墨子的节用主义，真做到彻底了。第二件，强迫劳作，丝毫不肯放松；很合墨子"财不足则反诸时"的道理。虽然不必"日夜不休，以自苦为极"，但比诸从前工党专想减少工作时刻，却是强多了。墨子说："安有善而不可用者。"看劳农政府居然能够实现，益可信墨子不是幻想家了。

依梁氏此说，则墨子直二千年以前劳农政府之先达矣。然梁氏谓"墨子的节用主义，真做到彻底了"语，考墨子之《节用中篇》所言"圣王制为节用之法"云云，下文皆继之曰"诸加费不加于民利者，圣王弗为"，此皆与民对言，则其法为专对在位者而言可知。且云，"圣王弗为"，而不云圣王禁民不为，所称者亦为古圣王，则古圣固未有绝对干涉人民衣食住之事者，则墨子此言，亦必非如梁氏所说，都由政府干涉可知。然墨子"尚同一义"，则节用之义，亦必欲强天下之同；是梁氏之言，似亦未为大过；唯言墨子之于衣食住，尽主由政府干涉，则终属臆测，而无显证耳。

至梁氏又谓"遍查《墨子》书中并没有一个字说君位要世袭"云云，尤为不然。考《天志上篇》云："然则禹汤文武其得赏何以也？子墨子言曰：其事上尊天，中事鬼神，下爱人，故天意曰：此之柱按之通'知'。我所爱，兼而爱之；我所利，兼而利之。爱人者此为博焉，利人者此为厚焉。故使贵为天子，富有天下，业万世子孙。"以业万世子孙为善，非赞成君主世袭而何？梁氏于是乎疏矣。

要之，近人之学，颇似商贾趋时，好以外国学说，皮傅古书；往时人喜谈卢梭，故以卢梭说傅会之；今人喜谈劳农政府等，故又以劳农政府等傅会之。此乃近世学者之长技也。其学术之能耸动听闻者在此，其短处亦正在于此。

至于《墨经校释》，长在文字明晰，能引人入胜；依鲁胜之例，引说入经，各附其章；又以校与释分而为二，均极便学者研究。至其疏失，亦可得而言。

一、拘守《经说》必牒举经文首一字以为标题之说，故多妄加妄减，而不知《经》说固多牒经文首字为题，而亦有牒举两字者，有首句《说》与《经》文有同字而遂不举者；不必拘守一律，以削趾就履也。此条胡适已论之。

二、本前人之说而不出前人之名。如《经》上云："勇志之所以敢也。"《经说》云："勇以其敢于是也命之，不以其不敢于是也害之。"张惠言云："人有敢亦有不敢，就其敢于此者，则命之'勇'矣。"孙诒让云："'名'犹'命'也，言因敢得'勇'名。"而梁氏则云："'命'犹'名'也。言因敢得'勇'名。人有敢，亦有不敢，就其敢于此即命曰'勇'；虽不敢于彼，仍不害其为'勇'也。"其说全本张、孙。又句下校释之语，亦多此类。如《经说下》云'极胜重也'，孙注云："《说文·木部》云：'极，栋也。'屋栋为横木，引申之凡横木通谓极。"《梁》注云："《说文》云：'极，栋也。'屋栋为横木，引申之凡横木通谓之极。"梁氏此注亦全本孙氏。如是之类，未免有攘美之讥。

三、援引多讹。如《经说上》云:"不若金声玉服。"梁云:"'不若'之'不',孙云疑衍。"然今考孙书本云"不"疑当作"必",而无"疑衍"之文。如《经上》云:"纑间虚也。"梁本改"纑"作"枦",云:"'枦'字从孙校。"然考此条孙注引王引之云:"'纑'乃'枦'之借字。"是当云从王校而不当云从孙校也。又梁氏引张惠言云:"但就虚处则谓之枦。"今考张原本作从糸之"纑",不作从木之"枦";而梁氏既改经文"纑"为"枦",并改张注之"纑"为"枦",误矣。凡此皆著书不小心,或削趾就履之过。

四、改字太多之病。如《经上》云:"同异而俱于之一也。"《说》云:"侗二人而俱见是楹也,若事君。"梁校云:"侗"疑当作"同"。"楹"字当为"相盈"二字分写之讹。"人"字涉上"人"旁而衍。"见"字涉上文"是"字形近而衍。"事君"二字不可解。是《说》文十二字,而梁氏疑改者几过半数。如此解释古书,其意虽美,恐非古人之意也。不知此文本无一误。"侗"与"同"同,犹"侒"与"安"同。墨子之意,谓当立一以为法仪。"于",依也。"之",此也。谓人人虽异而俱依此一以为法仪也。《说》云"二人而俱见是楹",则譬此"一"为"楹";以此"楹"为标准,虽二人之不同,而"俱见是楹",以是"楹"为标准则同。"若事君"者,谓若万民之事君，而志无不同也。举"二人"为言，即仁从二人之意，多数之称也。此即《法仪》《尚同》《天志》之旨，不须改字而本文自通。

五、文字之学本疏。故于古音义，无所证明。如《经下》云："谓而固是也。"《说》云："未有文名也。"梁氏以牒经文首字标题之例，改"未"为"谓"，其义是也。然而不知"未"即"谓"之音转。桓二年《公羊传》云："若楚王之妻媦。"《解诂》云："媦，妹也。"按"媦"从胃声；"妹"从未声。"媦""妹"声近义同。则"谓"从胃声，故转而为"未"。此《经》作"谓"而《说》乃作"未"之证也。盖梁氏之于小学，似非所长，故其书除删改文字外，于古音义无所阐发也。

虽然，梁氏提倡墨子前后著书三种，其功可谓勤矣，可谓墨子之功臣矣。

自梁氏提倡墨子之后，有胡适、章士钊，皆喜以名理说墨子。胡氏著有《墨辩新诂》，然刊布者只《小取》一篇，其书甚有条理。此外于《中国哲学史大纲》上卷，有《墨子》及《别墨》两篇，几占全书之大部分。然惟别墨之论，与梁氏不同，其余则梁氏之《墨学微》，实已开涂径。胡氏据《庄子·天下篇》"俱诵《墨经》，而倍谲不同，相谓别墨"之语；以《经》上下、《经说》上下及《大取》《小取》六篇，为别墨之书，或为公孙龙、惠施之徒所作。而不知庄子所谓"倍谲不同"者"相谓别墨",则谓虽诵《墨经》而背于《墨经》者,乃谓之别墨;是别墨乃背于《墨经》之称,安得反谓《墨经》为别墨之书乎?"别"之古文为"八"。《说文·八部》:"八,别也。象分别相背之形。"重之则为"仌。"《说文·八部》云:"仌,分也。从重八。《孝经》曰:故上下有别。"虞翻说《尚书》"分北三苗","北",古别字。盖"北"篆文作"仌",亦象二人分别相背之形。则"北,八,仌,别"四字,古音义相近相同。则"别墨"犹云"背墨"。相谓"别墨"乃彼此互相诽斥之词,故下文接云"以坚白异同之辩相訾,以觭偶不仵之辞相应",言其彼此相非难也。《韩非子·显学篇》云:"孔墨之后,儒分为八,墨离为三;取舍相反不同,而皆自谓真孔墨。"韩云"取舍相反不同",犹庄云"倍谲不同"也。韩云"自谓真孔墨",此斥其自是;庄云"相谓别墨",乃斥其相非。是己则非人,非人则是己;其言不同,其实一也。夫见诵《墨经》而背《墨经》者,因谓《墨经》为背《墨》者之作,是何异于见称诵孔墨而背孔墨者,因谓孔墨为背孔墨者之学乎?且"倍谲不同"者"相谓别墨",则别墨非一人,而《墨经》者乃所俱诵者也。若以《墨经》为别墨之书,则属别墨中何墨之书乎?为此一别墨之书,则彼一别墨必不诵,何云俱诵乎?凡此于论理有不可通者。而世人乃大共尊信之，是真大惑不可解者矣。至章士钊乃反其说，以《墨经》为墨家与施、龙辩难之书，一立一破。学者又或共相尊信之，以为最新之发明品。章氏所著有《名墨訾应论》《名墨訾应考》，最为学者所称道。又有《章氏墨学》，皆阐发其訾应之义。然其"訾应"二字，本于《庄子》书，而所征引者为《墨经》，则是以《墨经》为訾应之辞矣。其说之不可通者有二：一，庄子所谓"訾应"，指诵《墨经》者之互相訾应，非谓与名家訾应。而章氏题云"名墨訾应"，是命题已非其实矣。二，庄子之言，谓以诵《墨经》不同之故而訾应；则訾应之言，当别有书，决不能以《墨经》为訾应之书。犹自汉以来诵《春秋》者有三家，倍谲不同，学者互相驳诘；其驳诘之辞，亦当别有其书，不能指《春秋》为其驳诘之书也。而章氏乃以《墨经》为墨者訾应之词，是何以异于谓《春秋》为后儒驳难之文乎；此其不可通也明矣。

章氏释《墨经》其精警之处固多，其牵强之处亦复不少。兹举一例如下：

> 《经上》云："盈莫不有也。"《说》云："盈，无盈，无厚，于尺无所往而不得二。自注：原衍一得字。"章释之云："盈说在盈否之盈，以粹兼爱主义。但盈

矣，以词害意，而别无说以通之；是将受攻者以柄，而大义终莫明也。"故说曰："盈无盈。"《墨经》与《说》以正负两面相互而明一义，其例有之。如经"厚有所大也"。《说》"厚惟无所大"是。惟"无盈"之说亦然。夫"无盈"者非"无盈"也。盈而吾见其有间，可得将吾意以入之也。虽有间矣，而其间前于区穴而后于端，为域极细，不容一发；必吾将以入之者无厚，而后游刃有余；此庄生所以称屠牛垣以无厚入有间者也。果无厚矣，凡遇整然成形，浑然一致之物，无往而不可分；分尺得二，是为显证。由是兼爱而适然爱其一体何害？爱其一体而仍无损于兼爱，抑又何难？

章氏谓《经》与《说》以正负两面相互而成一义，其例有之，其言诚当；与余不谋而合。其解说则病添字太多。如训"无盈"为"非无盈盈而吾见其有间可得将吾意以入之也"。训"无厚"为"必将吾之所入者无厚而后游刃有余"云云。添字已如许之多；此外尚须加许多枝节之语，皆原文所无之义。如此释古书，将何说而不可乎？余按前条释纩，"纩"即"虚"之借；见拙著《墨子间诂补正》。上云"虚间虚"，即一无所有；此云"盈莫不有"，即无一不有；义实相反。然惟其相反，故恐人以为非盈则虚；是以非"莫不有"即为"无所有"，此乃大误。故《经说》释之曰："无盈"犹"无厚"也。盖既已谓之"无厚"矣，如刀刃然，无论如何之薄，必有厚者存；若云真无，便是无刃，不得谓之刃矣。是故既已谓之刃矣，则必有刃之厚存。"于尺无所往而不得二"，谓如"一尺之棰，日取其半，万世不竭"，无所往而不得以二分之也。世所谓"无厚"之"厚"，即此不竭之二，于论理决不能谓之无也。惟"盈"亦然，虽与"虚"相反；然此与"有无"之相反不同。如云"无有"，则其为"无"，可知。若云"无盈"斯虚，斯乃大谬。盖既云"盈"矣，则所谓"无盈"者，无论如何之微，必有"有"存焉，而不得谓之无有；犹"无厚"之不得谓之无"有"也。此节盖论"积极名词"与"消极名词"之关系。"积极名词"示一性质之存在，如"金类的"，"有机的"，是。其相当之"消极名词"，则示此性质之不存在，如"非金类的"，"无机的"，是。凡"消极名词"，往往加以消极冠字于"积极名词"之上，是为消极名词之形式。然亦有"无消极之形式"而有其性质者，如虚之一语，乃盈之消极语是也。有"有消极之形式"而不必即有消极之性质者，如"无盈"之于盈，是也。此犹"无厚"之于"厚"也。异乎非金类之于金类，有消极之形式，又有消极之性质者矣。参考王国维译《辨学》。

稍前于梁氏而与孙并时治《墨》而不为后人所注重者,尚有四家:一王树枏,二吴汝纶,三王闿运,四郑焯。郑书自以为过孙氏《间诂》,今不存。王树枏有《墨子校注补正》,以万历本校《墨子》,足补孙氏所未逮。吴书虽注重文章,然训释亦颇有足以正毕、王之说者,略举二例如下。

一,《尚同下篇》云:"若苟义不同者有党,上以若人为善将赏之。"毕云:"'赏'旧作'毁',一本如此。"吴云:"毁"字是。"将毁"之者百姓将毁之也。承"有党"为文。故有"百姓"字。下"将罚"之"罚"乃"誉"之讹耳。

二,《尚贤下篇》:"今也天下言士君子。"王云:"'言'当为'之'。"吴云:"'言',助句之词,《尔雅》与'之'同训间也。王改非。《所染篇》,子墨子言见染丝者而叹,与此同也。"诸如此类,颇为精审。其子闿生,亦时加有案语,固颇有可采者;然如《兼爱上篇》云:"必知乱之所自起焉能治之。"闿生注云:"男谨案'焉'犹'乃'也。"夫"焉"字训"乃",王念孙父子早有此说,而闿生竟未出王氏之名,言之如己出,何邪?岂王氏之书,亦竟未之读邪?诸如此类,亦不可殚举。

王闿运书刊行早于吴书,王书于光绪甲辰,刊于江西官书局;吴书于吴氏殁后,刊于宣统元年。闿运本词章家,考证非其所长；除武断妄改外，并多袭前人之说。然亦有足以补诸家之阙者。如：

《非攻中篇》：欲以抗诸侯以英名攻战之速。

此"英名"二字，诸家均忽略无释；而闿运注云，"当作莫若"，实为至当不可易。其书自《备城门》以下校释比诸家为详，可谓能详人之所略；又于《经篇》引《说》就《经》，复《经》上下旁行之旧，亦其善于诸家者也。

与王闿运同时治墨者，尚有曹耀湘，著有《墨子笺》，刊布于民国四年。王闿运深称之。其书于每篇之末，皆略论其大义，亦颇有胆识。如书《兼爱篇》云：

墨子之学，其为儒者所诋訾，在于兼爱。孟子至比之于禽兽，以为无父。究其实，则忠孝之理所由推行而尽利也。人必视天下犹一家，中国犹一人，万物犹一体；然后可以得亲顺亲，为人为子。故《孝经》曰："爱亲者不敢恶于人，敬亲者不敢慢于人。"又曰："合万国之欢心以事其先王，合百姓之欢心以事其先君。"又曰："先之以博爱而民莫遗其亲。"盖重之以申明之，圣人之训，炳若日星矣。儒者即欲自别于墨氏,独不思《孝经》之言乎?孟氏之书其自蹈于偏蔽者欤?

在前清老儒,能发为此言,显斥孟子,王闿运《墨子注自叙》云:吾友曹郎中耀湘,又题曹书,称为镜初先生。亦可谓异于常流者。然其引《孝经》云云,岂果与墨子之兼爱同乎?《孝经》一则曰万国,曰先王;再则曰百姓,曰先君;三则曰君;盖皆指天子国君有位者而言,非墨子之教人"爱无差等"、"爱人亲若其亲"者比也。又如《书大取篇后》云:

按墨子《经上》《经下》《经说》上下、《大取》《小取》凡六篇,篇第相属,语意相类,皆所谓辩经也。《大取》则其所辩者较大,墨家指归所在也。凡墨子之说,其为儒家所排斥,世情所畏恶者三端:节葬也,非乐也,非儒也。有为儒家所排斥,世情不以为恶者:兼爱也,非命也。有为世情所畏恶,而儒家不以为非者:尚同也,非攻也,节用也。有与儒术相合而亦不违乎世情者,则:尚贤也,天志也,明鬼也,与夫亲士、贵义、修身之说,皆是也。既与人情有违,则行之不能无窒;与儒术有异,则言之不能无争。墨子述大禹、箕子之教,修内圣外王之术，思以易天下；故必为辩经，博极万事万物之理，穷其源而竟其委；使天下后世咸晓然于易知简能之故，则亦有不得已焉者矣。其宗旨则略具于此篇，所辩者大，故曰大取也。

此说可谓深知墨学之要领矣。其校改亦颇有卓见。如：

《亲士篇》：焉可以长生保国。

"长生"二字，诸家皆不留意；而曹本改"生"为"世"，云："原讹作生。"则"长世保国"，其义实比"长生保国"为长。盖'世'古作'丗'，与生形近而讹也。又如：

《节葬下篇》：曰必捶埮差通垄，虽凡山陵。

此文诸家校释，多未安。曹校改为"曰凡山陵，必埮涂差通垄隧"。《注》云："'虽''隧'音近而讹。"文义遂似可读。其书于大取颇详，而略其攻城门以下。其言云：

自《备城门》以外，存文十一篇，讹脱特甚，今亦不复校录其文。墨子以非攻为教，若非详明守御之法，则世之溺于功利之说者，未必因口舌而为之沮止。故其止楚勿攻宋，亦示之以能守之实用，而后楚人信之，非仅以空言感动暴人也。老子称"兵者不详之器，有道者不处"，若墨子专言守御，犹是仁人之事也。唯是古贤之书，有言理言事之别。言理者可以救一时之人心，此心同，此理同，俟诸百世而不惑也。言事者，则视乎其时，视乎其地；可以捍此时之患，未必可以行之于彼；可以捍一时之患，未必可以推之于后世。故墨子《备城门》诸篇，纵使文义完足，在今日实为已陈刍狗；况其讹脱不可读乎？倘泥古法，逞臆说，以断烂残缺之简记，疑误后人，殃民覆国。仁人必不忍出此，岂墨子之志乎？与其过而存之，毋宁过而缺之。倘亦有当于先圣之教邪？

其言固似持之有故。然天下学问，有求行求知二者之别。研寻古人之至理名言，是求行者也。研寻古代之事迹，则多属之于求知而已。泥古以行，固大可不必。然若以为不能行者，则概不当论述；则古史之事迹，其为吾辈所不应究者不已多乎？

与曹书同年刊布者，尚有胡兆鸾之《墨子尚书古义》，其自序略云：

欲证古书，必求古籍。墨子生孔子后，在孟子前。其时真本具存。墨子出游，关中载书甚多，则亦勤于稽古之士。《吕览·当染篇》，称墨子学于史角之后。《淮南·要略训》又称墨子学儒者之业，受孔子之术。其称《尚书》者必孔子删定之本。阎氏若璩、王氏鸣盛、江氏声、魏氏源、程氏廷祚、陈氏乔枞，皆尝引之；或略而不详，或辩而不精，读者不无遗憾。兆鸾幼承家学，粗涉经术，于趋庭之暇，时有所获；辄依墨子篇第，编辑《尚书古义》。凡前人之说，一一明称，于义未安，亦不敢曲和。古书奥邃，难以强通，义从盖阙，不复诠释。

盖专取墨子说《尚书》之一部分以治《书》，于墨学经学，均为别开生面者矣。余著《墨子之经学》成后，方于友人陈镇凡处得阅胡书。然其引淮南王书，遂谓墨子所引《尚书》皆孔子所删定者，则殊未然。淮南书所称，盖谓墨子读孔子之书耳，非以墨子为孔子弟子。墨子非孔子弟子，故其立说务与孔子反。孔子言"焉能事鬼"，而墨子独"明鬼"；孔子言"天何言"，而墨子独言"天志"；孔子重丧葬，而墨子独"非葬"；孔子言"亲亲之杀"，而墨子独言兼爱无差等；孔子"闻《韶》三月不知肉味"，而墨子独"非乐"：皆受孔子之反响而为反孔之论者。当时，孔子虽删书以授弟子，其未删者犹在天下。墨子既多反孔之论，则其所读之书，安能谓其必在孔子所删之内者乎？

稍后曹书而为全书训诂者，又有尹桐阳，其书成于民国八年。大抵祖述王闿运之说，然绝不出王闿运姓氏，是可异也。然其书以《亲士》《修身》《非儒下》《经上》《经说上》《经下》《经说下》《大取》《小取》为《墨经》，为卷一；其余《所染》《法仪》《七患》以至《非命下》等，为《墨论》，为卷二；《耕柱》以下为杂编，为卷三；则与王异。注释句读亦间有与王异者。且能征引古书以证明王说，信可为王氏功臣矣。亦颇能以近世科学释《墨经》。如：

> 《经上》云："止，以久也。"《经说》云："止，无久之不止。"尹云："久从人，象后有止之。因以为稽留之词。运动之物体，不受作用于外力，必不变其运动之状态。止之故必须有久也。无久则可推定永动不止耳。"

凡若此等，皆能发前人所未发者。

此外最近刊布者则有四家：一刘师培，二陶鸿庆，三张纯一，四李笠。今分别论之。

刘师培所著有《墨子拾补》。其卷上已发表于《国学丛刊》，卷下予于友人盐城陈斠玄钟凡。假读之。

斠玄，刘高弟，故得钞录其稿本也；其书重检《治要》《六帖》《文选注》《类聚》《御览》等，均足以补孙氏《闲诂》之缺遗。其释义亦多精确。如：

《天志中篇》："撽遂万物而利之"。刘云："撽"为"交"字假音。《诗·小雅·桑扈》："彼交匪傲"，《汉书·五行志》中引"交"作"徼"。《论语·阳货篇》："恶徼以为智者"，《释文》云，"徼郑作绞"，《庄子·庚桑楚篇》："交食交乐"，《徐无鬼篇》作"徼食徼乐"。自注：此用平议脱。是敫声之字古与交通。此文假"撽"为交，"撽遂"犹云交育也。《国语·齐语》云："遂滋民"。韦《注》云："遂育也"。《管子·兵法篇》："定宗庙，遂男女"，是遂育义同"交遂万物"，"交"与上语"兼"字对文。犹他篇所云"兼相爱，交相利"也。

其精审多类此。盖刘氏为近代考证大家，其书信非浅学之徒所能几也。

陶鸿庆著有《读墨子札记》，说亦精卓。如：

《大取篇》:"大人之爱小人也,薄于小人之爱大人也;其利小人也,厚于小人之利大人也。"陶云:此当云"大人之爱人也,薄于小人之爱人也;其利人也,厚于小人之利人也"。"爱人利人"即指下文以臧爱利其亲,以乐爱利其子言之。上文云:"天之爱人也,薄于圣人之爱人也;其利人也,厚于圣人之利人也。"与此文同一例。如今本则不成义。

其书颇足与刘书相颉顽。

张纯一所著有《墨子间诂笺》,刊布于民国十一年,至十二年复有补校之刊行。章炳麟序其书,谓精卓之义,往往有诸家所未发者。然而李笠则颇多非议之。云:

> 纯一自言注《墨》都二十余万言。此编专辑其订正《间诂》者,特其一部分耳。笠缮写《校补》方竟,适友人伍君叔傥,寄赠此书。亟加考核,则校勘之功甚疏,旁参之本绝少,臆说孤证,时所不免;空言充牣,余颇病之。又其校语与王景羲诸家同者数见不鲜,亦间有与余暗合者。

李氏斥之虽太过;然谓其校勘之功疏,旁参之本少,则良然。如:

《兼爱下篇》：然即敢问不识将恶也家室奉承亲戚。

此文孙氏《间诂》所校既有未安。张氏校云："'恶'下当从俞说增'从'字。'也'字衍，当删。疑当作'然即敢问：有室家者不识将恶从奉承亲戚'。"意虽不误，语气大非周秦。不知明万历本原无"敢问不识恶也"六字；焦竑校本、陈仁锡本亦均无此六字。证以后文云："然则敢问今岁有疠疫，万民多勤苦冻馁转死沟壑中者，既已众矣，不识将择之二君者，将何从也。"与此句上下文云："然则敢问今有平原广野于此，被甲婴胄将往战，死生之权，未可识也。又有君大夫之远使于巴越齐荆，往来及否，未可识也。然即敢问不识将恶也家室奉承亲戚提挈妻子，而寄托之。不识于兼之有是乎？于别之为是乎？"此两段文虽详略不同，其文例当一。而后文不重"敢问"二字，然则此文万历本、陈仁锡本无此六字者是也。张氏以参证本之少，故于俞、孙诸家所不照者，多无能匡正。又如：

《亲士篇》：逝浅者速竭。

此"逝"字，王引之谓当作"遊"，俗书"游"字作"遊"；俞氏谓当作"澨"。张云："《论语·子罕篇》'逝者如斯夫'，'逝'即川流意。不必破'逝'为'遊'。"

李笠云："张说谬。《论语》'子在川上，曰，逝者如斯夫'，何晏《集解》引包曰：'逝，往也。言凡往也者，如川之流。'邢昺《疏》亦云：'言凡时事往者如此川之流。'则'逝'字实为感叹时事之往，非谓川流之往。又'游''流'字并从水，含有水义。故可云'浅'，云'竭'；而与'谿'字对文。且《论语》'逝者如斯'，上有'川'字；即如张说，义或可通；离'川'言'逝'，以为水流可乎？《张笺》引《四子书》，多用朱熹《注》；取材既卑，毋怪其陋。"李氏此言，又未免斥之太过。唐以前诗文已有逝水之名，王襃《尉迟纲墓碑》：逝水讵停，光阴不借。则以"逝"为指川流，自是唐以前之古义。惟不应离川言逝，以为水流耳。又《说文·㫃部》："游，旌旗之流，从㫃，汓声。"此"游"字取义于"流"字之证。李不引此以证王驳张；而云游从水，故有水义；殆亦自失于陋矣。夫"游"字说文入㫃部，可云"从㫃从汓"，宁可云"从水从斿"邪？

李笠所著有《定本墨子间诂校补》，观其叙，盖成于民国十一年，而于十四年十二月始刊布。兹节录其自叙云：

　　笠卝年受书，便私淑孙氏。甲寅之岁，初读《墨子间诂》，辄为举正数字。辛酉春月，馆邑之南鄙。

索居无聊，取定本《间诂》与聚珍本、毕刻本对勘，至有不合，定本之挩讹尤多。自注：自脱一字至五六字不等。因念孙氏《间诂》，斟酌诸本，至为勤劬。重刻之后，便有差跌。则孙氏引据诸本，庸无差跌乎？孙氏所未见者，不更有差跌乎？尽较书扫叶之功，仲大儒未竟之绪，积累之事，谈何容易？其时亡友杨君则刚嘉。亦体斯旨，会获明茅坤校本及百家类纂本，并孙氏所未见者，更取孔本、陈本、俞本《北堂书钞》，与定本《间诂》互勘，颇有匡益。笠每欲合杨君所校，及王氏《墨商》，撰为《墨子校勘记》，以为读《间诂》者之助。频以事牵，终年未暇。今岁在王氏家塾，为诸生讲授《墨子》，参读梁启超《墨经校释》，见其中有因定本《间诂》致误者，为之不怡累日。如《经说下》："或不非牛而非牛也，则或非牛或牛而牛也，可"；聚珍本《间诂》则上原有"可"字，道藏本、茅本、毕本、王本、张本、杨本并同。定本偶挩"可"字，而梁氏云："孙本无此字，据嘉靖本增。"胡适后序，便诩为创获，曰："梁先生的《校释》，有许多地方与张惠言、孙诒让诸人大不相同。"又曰："梁先生这一条，乃是用嘉靖本校《墨》的第一次。"噫，何其出言之悖，而厚诬孙张诸人欤？又本篇："谓有智焉有不智焉也。"

定本"也"讹作可，而梁氏承之，以为涉上文而衍；不复据嘉靖与茅、张、毕、王诸本改；胡序亦不及正。夫梁、胡二人并邃墨学，转展承误，则笃信定本《间诂》之过也。盖《间诂》为学人崇奉久矣，因陋就简，将有不自觉者；则校勘之役，庸可缓欤？因复重理铅椠，别取张、杨《经说》、影嘉靖本、顾校本、王注本，暨孙籀廎、王子祥朱墨校本，稽核异同，推寻谊指，更取则刚所校附入编中，间有差失，辄为审定。盖论学无私见，亦孙氏治墨之矩也。

李书大略已尽于此，其书采获自比张书为多。盖自《间诂》以后，能博采诸家以注《墨》者，惟李书而已。其功亦岂时流所及乎。然采录虽勤，发明则少；《墨辩》部分，李氏自谓别撰集解，今且勿论；大小《取》以下，所采亦陋；除王闿运及杨嘉校语外，几无物矣。至其采录王景羲之语，尤多鄙陋可笑者。

此外尚有胡韫玉、刘昶二家。胡著有《墨子经说浅释》，止毕《经上》，及《经说上》；又有《墨子学说》，均刊布于所编《国学汇编》。《墨子学说》分总论、非攻说、节用说、非乐说、节葬短丧说、尚同说、法天说、杂论等，颇多新颖之议论。其《经说浅释》亦引说就经，于梁启超之说颇多非难。其释义亦颇有发明。如：

《经上》云:"儇秪秖。"《说》云:"儇昫民也。"胡改"秪秖"为"秪秖"。依孙说改"民"为"氐"。释云:"儇"为"环(環)"之借字。《周礼·乐师》:环拜以钟鼓为节。司农《注》"环,旋也",《说文》:"秖,复其时也。《虞书》:秖,三百有六旬有六日"。盖岁一周为秖也。《说文》:"秖,触也"。引申之为接触之称。言环者如岁之一周而相接触也。《说文》"昫,日出温也"。"氐,下也"。日出温者,日初出也。日初出以至氐下,即环之义。《经》以一年释"环"。《说》以一日释"环"。

其新颖处多类此。

刘昶著有《续墨子间诂》,其书亦刊布于民国十四年,颇能以小学阐发古义。其凡例略云:

通假之例,必征于字句间,分作双行,免与正文相混。墨学多古字古谊,每与《说文》相发明;故宗主许书,而以段、桂、朱三家之说辅之。形讹之字,必列篆隶;其沿革稍繁者,则比而识之,非敢于变更也。

其解释之新颖者,如解《经说》"久弥异时"条云:

久（假）弥异时也守（讹）弥异所也《经上》。

旧本

今（到）久古今（讹）且莫（正）宇东西家南北《经说上》。

宙（正）弥异时也（正）宇弥异所也

今释

宙（顺）今古亼（正）旦暮（俗）宇东西家南北

《庄子·庚桑楚篇》："有实而无乎处者，宇也。有长而无本剽者，宙也。"《注》："宙为古今之长，而古今长无极；宇有四方上下，而上下四方未有穷处。"《三苍》云："宙虽增长不知其始末之所至，宇虽有实而无定处可求。"此异时异所之说也。是则"久"乃"宙"之音假。自注：《经下》说在长宇久亦是假久作宙，盖'宙''久'一声之转耳。"守"即"宇"之形讹。自注：当从《说》以正《经》。孙云：旧本"久"上有"今"字。昶案以下句为例，当是"久"下有"今"字。"今且莫"当是"亼旦暮"。自注：亼乃集合之正字，俗人不知亼即集字，疑为今之残文，转写作今。且莫则颠倒讹误萃于一句矣。盖地体自转，此旦则彼暮。自注：俗莫字。行南陆则昼长，行北陆则宵长。今古亼旦暮而成，故云"弥异时也"。地为圆体，无在不是中央，无在不有四方，亦无所可称为何方；如图，次于③家，则④家谓为北，①家谓为西，②家谓为东，⑤家谓南；而自③家言之，莫不相反，任何迁徙，而中央四方，从无定称。故不曰东西中南北，而曰东西家南北，斯为弥异所也。《经下》云："谓此南北过而已为然，始也谓此南方，故今也谓此南方。"《淮南·齐俗训》："西家之谓东方，东家之谓西方；虽皋陶为之理，不能定其处。"皆斯义也。

观此一条，可见其书之内容矣。然其所释亦往往有前人所已言者。如《亲士篇》："甘井近竭，招木近伐。"刘引《庄子·山木篇》"直木先伐，甘井先竭"，小《注》云："俞曲园谓'近为先之形讹'，当以此语正之。"而不知孙氏《间诂》已引之矣。又《大取》篇："益其益，尊其尊。"刘云："尊乃劋之音假，减也。"而不知《间诂》已引俞云"尊当读为劋。《说文·刀部》'劋，减也'。'劋'有减损之义，故与'益'对文成义"。然则刘氏之续，不已複乎？凡此之类，可见刘氏续《间诂》，而于

《间诂》尚未细读也。

此外注《墨子》者尚众，有张子晋之《墨子大取释义》，章炳麟为之序；有张子高之《墨经注》、邢子述之《墨子玄解》，均见称于章士钊。又有张纯一之《墨子分科》，其书均未得见，想尚未刊布，未能论列。其余讨论墨学者有释太虚《墨子平议》，胜义甚多；有伍非百《名墨訾应考》，辨正章说，蔚然可观，又有《墨经原本非旁行考》《墨辩释例》《墨辩定名答客问》《评梁、胡、栾墨辩校释异同》等篇，其《非旁行考》，余于前篇论《墨经》之体例已辩之矣。然伍氏诸篇，要均甚有价值之作，无疑也。又有钱穆著《墨辩探原》，明《墨辩》之旨，在乎兼爱，可谓洞见本源之论。又如汪镒甫之《墨家名称派研究》、汪馥炎《坚白盈离辨》、无观之《墨子与科学》、李毅衷《墨学衰微的缘故》等作，亦不无可取，各有所长。江瑔《读子卮言》、陈钟凡《诸子通谊》，均有论墨之作，并多独到之言。墨子之学，盖于斯为盛矣。

然天下之事，为之太过，必有反响，而学术尤甚。有汉儒之考据，则必有晋人之清谈；有唐人之注疏，则必有宋人之空疏；有宋人之空疏，则必有清人之征实。在一学派独盛之时，亦必有一二人极力反对，以为异时一变其学之先导。墨学亦何能外是。是故墨学自孟子辞而辟之之后，晦暗二千余岁；虽唐之昌黎，一倡其学，以孔墨同视，而世亦莫之应。以至清乾嘉之间，汉学盛行，注经者已次第臻于极盛；故学者又别开生面，以治子书；而墨子始为人所注意。然犹多不敢显称墨子，以违孟子。唯汪中独以墨之诬孔，犹孟之诬墨为说，则已受孟学极盛之反响矣。至于清末，文网已弛，言论自由，学者遂一反而诋孔孟，尊墨子；梁启超著书且称为大圣人，学者向风慕义，而墨子之学遂如日之中天矣。于是有二人焉，遂著书以力诋今之治《墨子》者。柳诒徵作《读墨微言》。其略云：

> 今人多好讲墨学，以墨学为中国第一反对儒家之人；又其说多近于耶教，扬之可以迎合世人好骛新之心理，而又易得昌明古学之名。故讲国学者莫不右墨而左孔，且痛诋孟子距墨之非。然世界自有公理，非凭少数人舞文弄墨，便可颠倒古今之是非也。墨子之道，本自不能通行。自战国以来，墨学久绝者，初非举数千年若干万亿人，皆为孟子所愚，实由墨子之说拂天性而悖人情，自有以致之耳。

其论取证甚详，不能具录。墨子《兼爱下篇》言别士兼士之分，柳氏驳之，以谓兼之与别，岂止两端；见人饥寒，衣之食之，不若吾身吾亲可也；未必不若吾身，不若吾亲，即是饥即不食、寒即不衣。《兼爱下篇》，有先爱利人之亲然后人爱利吾亲之说，柳氏斥之，以谓墨子之意，专为交易起见；人人以市道相交，必至真诚尽泯。皆为精绝之论。柳氏外，有孙德谦作《释墨经说辩义》。其略云：

  吾于诸子，字句之间，谨守多闻阙疑之义；不欲曲为之解，以失其真。墨子之书，其中最难通者，莫如《备城门》以下，与《经》上及大小《取》六篇。《备城门》诸篇，论兵家守城之法，为墨子非攻之说见诸实用者，而可以私意穿凿之乎？如以私意穿凿，将贻害无穷矣。《经上》《经下》《经说》上下、《大取》《小取》，此六篇者，其中"難""飘"等字，他书不经见；又其所言之义，亦多有索解不得者；故如墨子之《经》，吾一以阙疑归之。

  凡吾之所谓阙疑者，以考据家之治诸子，往往求之训诂而其道几穷，不曰衍文，则曰脱文；再不然，则曰传钞之误。语云："君子于其所不知，盖阙如也。"则无有为此者矣。其所以不能阙疑者，乃将以便其轻改古书耳。夫古书而可以任我轻改，则读古人书，亦太易矣。

  观于今日，其释《墨经》也，以"一少于二而加于五"谓论算学；以"平同高也，中同长也"，谓之论形学；以"景之大小说在地岳远近"谓之论光学；以"力形之所以奋也"谓之论力学。自注：此外尚有心理学等不备举。如其说，未尝不持之有故，言之成理。然形光诸学，近世乃闻；墨子远在战国，岂已预知之乎？夫天下事虚理可以推测；学问之道，后人所为者，必谓前人早言及之；墨子虽自成一家，亦未必创造此种学说也。

此皆与今之治墨者，以痛切之讥评者也。夫古书固不可以轻改，然谓古书决不可以改一字，则是谓古书之传，必无脱衍，必无传钞之误，亦岂尽然乎？今人著文刊书，自经手校，尚不免于讹脱而不自知者；况传世久远之书，而谓其一无讹挩，可乎？墨子之学，固不能预知今世之科学，然焉知墨子之必不见及此，而为古今不谋而同者乎？孙氏之说，亦不可以不辩也。

余幸生俞、孙治让。诸贤之后，得与近世治墨者同时；又性好考证之学，读书每有疑难，辄好博览群言，以求其是；不得，则自为取证，不敢妄逞臆说。诸子之中，于墨书研诵尤久，时作时辍，近乃略有所成；其关于讨论墨学者则此十篇之论，是也。其关于考证者，则有《墨子刊误刊误》及《定本墨子间诂补正》。《补正》成书数十万言，并附以近人论墨名著，名曰《墨学讨论集》。自今以前，为墨子之学者，自一言一字之训诂以至宏篇巨制之讨论，其大略均见于此矣。书成，锡山唐蔚芝先生许为孙氏之功臣，侯官陈石遗先生许为孙氏之畏友，奖掖后进，既感且愧。卷帙浩繁，刊行有待。谨将序例略录于下，以俟博雅君子教正焉。

《定本墨子间诂补正·自序》

自孟子辟墨氏为无父，而世儒遂交非墨子，同目为禽兽，不得与于人之列，遑问其学之得失哉？然自近人表彰之后，《墨子》且为天下大圣人，孔子尚不敢望，则又相与尸祝神明之不暇矣。是二者何其反邪？其皆是邪？其皆非邪？曰：皆是也，皆非也。曰：何也？曰：皆一偏之见也。夫各就一偏之见以立论，则安得不各有其是，各有其非者哉？吾尝以为墨氏之书，其言兼爱，亦本于欲人爱利其亲，故爱利人之亲。《兼爱下篇》："姑尝本原孝子之为亲度者，吾不识孝子之为亲度者，亦欲人爱利其亲与？意欲人之恶贼其亲与？以说观之，即欲人爱利其亲也。然即吾恶先从事即得此，若我先从事乎爱利人之亲，然后人报我以爱利吾亲乎？意我先从事乎恶人之亲，然后人报我以爱利吾亲乎？即必吾先从事乎爱利人之亲，然后人报我以爱利吾亲也。然即之交孝子者，果不得已乎？毋先从事爱利人之亲者与？"其《经篇》亦曰："孝利亲也。"其贵孝如此，岂无父者比哉？

曰：然则孟子之说非与？曰：是何言也？吾之所言，墨子之心也，情也。孟子之所言，墨子之学也，势也。墨子之心，未尝不孝其亲；墨子之情，未尝不爱其亲；然而以墨子之学，求遂墨子之孝，则其势必不可得；既必不可得，则其势必将有不能孝，或舍其亲而不顾者矣。奚以明其然邪？今设有人于此，月得百金。有教之者，曰：尔亲当与之半，尔兄弟当五之一，尔妻若子亦当五之一，其余十之一以济穷乏，则从之者必甚易。是何也？其势可为也。今墨子则不然，教之曰：爱人之身若爱其身，爱人父兄若其父兄，爱人妻子若其妻子。说本《兼爱上篇》。夫所谓人者何邪？非所谓天下之人者邪？然则虽累千万，犹不能给；区区百金，岂能有济乎？是故愿者从其说，则均分其金而其亲之所得将不及秋豪之末；其狡者为之，则不特不能视人之亲若视其亲，乃反而视己之亲若人之亲矣。是从墨子之说，将不至冻饿其亲不止矣。然则欲爱涂之人如爱其亲者，墨子之心与情也；其卒也则反而视其亲如涂之人焉，则又墨子之学之必至之势也；虽不谓之过不可得也。此墨子之兼爱无差等，所以为世疵病；而儒者之学本于亲亲之杀，所以易行而鲜敝也。岂非然哉？且夫墨子之兼爱无差等，则不能不重实利；重利之过，则亲死不足悲；《公孟篇》：公孟子曰："三年之丧，学吾子之慕父母。"子墨子曰："夫婴儿子之知独慕父母而已，父母不可得也，然号而不止。此其故何也，即愚之至也。然则儒者之知，岂有贤于婴儿子哉？"而不能不力疾从事，唯利之是务。故其究也，则利之所在，将重于其亲，死者既不足悲，生者又安足事？是其势又不至于无父不止也。孟子之辟，又岂足谓之过乎？且夫，爱从何生？非生于其身之最亲切者邪？天下之亲切也，孰有过于父母者乎？以最亲切之父母，尚以实利故，亦有不暇悲、不暇事，况于兄弟乎？况于朋友乎？况于涂之人乎？是墨子之学，其究也不特不能兼爱，且将无一焉可爱，而唯爱其身而已。此又其势之必然者也。曰：然则墨子之学，不亦可废乎？曰：是又不然。庄生有言，"墨子天下之好也，将求之不得也，虽枯槁不舍也，才士也夫"，是可谓知墨子之心者矣。夫孟子盖惧墨子之末流，其势将为天下祸，故不得不辞而辟之。若夫原墨子之心，则所谓"国家昏乱，则语之尚贤尚同；国家贫，则语之节用节葬；国家喜音沉湎，则语之非乐非命；国家淫僻无礼，则语之尊天事鬼；国家务夺侵陵，则语之兼爱非攻"《鲁问篇》语。者。当此人欲横流、争城争地之世，倘能以墨子之义告，则亦捄时之良药矣。岂可忽哉？然则尊墨子为大圣人者非也，距其说而不考者亦非也。

墨子之书见于《汉志》者七十篇,今存五十三篇。自汉之后,耳食之儒既本孟子之言,变本加厉,深相疾恶,无有治之者;中间鲁胜《墨辩注》及《乐台注》,其书皆已不传。盖墨子之书,二千余年来,若存若亡,亦已久矣。至清毕尚书沅,始开涂径;迄于王、张、苏、俞诸家,尤多阐发。于是瑞安孙君仲容,乃集诸说之大成,著《墨子间诂》;采取既博,所得亦精;盖信乎治墨书空前之作矣。然自是至今,治墨子书者亦何啻数十家,综其所得,盖亦必有足以补孙氏所未逮者矣。

予自志学之年,好治子部,其于《墨子》,尤所用心;孙君之书,研寻尤旧。鼎革以后,子学朋兴;《六艺》之言,渐如土苴。余性好矫俗,乃转而治《经》,其于《墨子》亦弃之久矣。乙丑之春,兼上海大夏大学讲席,车中无事,聊取《间诂》观之,忽有所得,至则笔而记之。自是以为常,一两月间,乃衷然成巨册矣。于是发愤为孙书作补正,遂博览群书,钩稽异本;而后益知孙氏之说,尚多未备;补正之作,更不容缓。略陈其概,盖有九端:一曰:解释尚多未备也。如《明鬼下篇》云:"武王逐奔入宫,万年梓株,折纣而系之赤环,载之白旗,以为天下诸侯僇。"此"万年梓株"四字,孙注云:"未详。"此句文义,固甚难通;故近人吴汝纶、王闿运诸家,亦均无敢下笔。张纯一云:"疑为鹿台之财之属，上有捝文。"说亦非是。按此文当读为"万人宰诛。"《说文》"年"作"秊"，从"千"声。"千"作"于"，从"人"声。故"年""人"声近。"年"变为"人"，亦犹《节用上篇》"子生可以二三年矣"，"二三年"亦为"二三人"之变也。"梓"《说文》从木宰省声，故"梓"借为"宰。"《汉书·宣帝纪·损膳省宰注》："宰为屠杀也。"则"宰"有杀义。株、诛同声，皆殊之借。"万人宰诛"，谓万人争宰杀纣也。下文"折纣而系之赤环"。《说文》"折"作"𣂪"，断也。即宰杀而裂其体，系之赤环也。两句义正相应。凡兹之类，形声相假，有当亟待补入者，一也。二曰：注谊尚有谬误也。如《尚贤中篇》云："无故富贵面目美好者则使之。"此"无故富贵"四字，《注》引俞樾说，以"无"为衍文，谓当作"故富贵"，谓本来富贵者也。其说之不当，孙氏已知之。然又谓"无故"为"无攻"，"攻"即"功"之借字。今按《说文·攴部》云："故使为之也。"本书《经上》云："故所得而后成也。"是"故"者有"所使"有"所得"之谓。凡富贵皆当有得于功业，皆有功业使之然；若"无故富贵"，则是无功业而富贵者，贵戚之类是也。然则"无故富贵"，义自可通，何必改字？凡兹之类，不免求之太过，有当亟为订正者，二也。三曰：古训尚有未明也。如《尚同中篇》云："靡分天下，设以为万国诸侯国君。"《注》引俞樾云:"'靡'当为'历',字之误也。《大戴·五帝·德篇》'历离日月星辰',文义正同。若作'靡'字,则无义矣。"按俞说非也。《周礼》"匪颁之式",郑《注》云:"匪,分也。"此"靡分"即"匪颁"之异文。《说文》䙴部,"䙴,赋事也。从䙴,八声;读若颁。一曰,读若非。"段玉裁云:"凡从非之字,均有分背之意;读颁又读非者,十三十四部与十五部合韵之理。"今按"匪颁"连绵字;"匪""靡"声相转;"颁"从分声,"匪颁"与"靡分"皆即"分"字之义,《广雅》:"靡,离也。"是"靡"亦分也。惟《周礼》用于赏赐之事,此则言域分天下耳。此古语之仅存者,而俞说妄易"靡"为"历",孙氏引俞说而不能证其非。凡兹之类,有亟待阐发者,三也。四曰,折衷尚多未当也。如《天志中篇》云:"今夫兼天下而受之,撽遂万物而利之,若豪之末非天之所为也,而民得而利之者,则可谓否矣。"《注》引苏时学云:"'否'义未详,疑当作厚。"俞云:"'否'义不可通,乃后字之讹;后读为厚,谓若豪之末,无非天之所为也,而民得利之,则可谓厚矣。"孙《注》以俞说为是。今按苏、俞之说,字异义同,其实皆非也。此文"否"字本自无误,"否"犹无也。谓若有豪末之小,非天所为,而民得而利之者,则可谓无也。意谓人之所利,无一非天之所为者也。"天之所为"下,下篇无"也"字,义更明显。墨子书"也"字，往往作"者"字用。《天志下篇》："昔也三代圣王。"又云："昔也三代之暴王。""也"均读为"者"。则墨子此文犹云："若豪之末，非天所为者，而民得而利之，则可谓无矣。"文义更显。其"否"字之不误，更明矣。孙氏于此，无暇细审，误从谬说。凡兹之类，有亟当订正者，四也。五曰：独见尚须旁证也。如《尚同中篇》云："是以先王之书，术令之道，曰：唯口出好兴戎。"孙《注》云："'术令'当是'说命'之假字。《礼记·缁衣》云：'《兑命》曰：惟口起羞，惟甲胄起兵，惟衣裳在笥，惟干戈省厥躬。'郑《注》云：'兑当为说。《尚书》篇名也。'此文与彼引《兑命》字义相类。'术''说''令''命'，音并相近，必一书也。晋人作伪古文不悟，乃以窜入《大禹谟》。近儒辩《古文尚书》者，亦均不知其为《兑命》逸文，故为表出之。"按孙说是也。然"术""说"相通，"令""命"同字，尚未列证。刘师培云："古籍'兑''隧'通用。《左传襄》二十三年：'夜入且于之隧。'《礼记·檀弓》下，郑《注》引之云：'隧'或为'兑'。'队（隊）''术'亦通用，如本书《耕柱篇》'不遂'即'不述'，《备城门篇》'冲述'即'冲遂'，是也。说假为遂，因假为术矣。至'令''命'二字，古金文以为一字。吴大澂《说文古籀补》，于'命'下注云：'古文命、令为一字。''令'字下又云：'古文以为命字。'

则'术令'之为'说命',其说确矣。"孙氏虽阐发其说,而尚未及证明,凡兹之类,有亟当录补入者,五也。六曰:训故尚当增订也,如《所染篇》云:"五入必而已,则为色矣。"孙《注》云:"'必'读为毕。左隐元年传'同轨毕至',《白虎通义·崩薨篇》,引'毕'作'必',是其证。"按孙读"必"为"毕",是也。然"必"即毕尽之"毕"之本字。《说文·莘部》:"毕,田网也;从田,莘象形。"是"毕"本无尽义。《八部》:"必,分极也;从八弋,八亦声。"分极有尽义,是"必"乃毕尽之本字,"毕"乃同声假借字也。故《说文·王部》珌之古文作璊,是其证。又《说文·攴部》:"敉,尽也。"此假"毕"为"必"后起之本字。凡兹之类,有亟当订补者,六也。七曰:校订尚多漏略也。如《法仪篇》云:"其贼人多。""其贼"旧作"贼其"。俞云:"当作'其贼人多',与上文'其利人多'相对。"孙氏据俞校乙,是也。然考《治要》所引,正作"其贼"。而俞、孙二家,据《治要》以校《墨子》,均未之及,未免漏略。凡兹之类,有亟当据补者,七也。八曰:刊印不免讹谬也。如《天志·中篇》:"雷降雪霜雨露"。《注》引王念孙云:"'雷降雪霜雨露',义不可通。'雷'盖'霣'字之义,霣与陨同。"今考王氏《读书杂志》"义"字本作"误"字。孙氏聚珍本尚不误。此乃讹"误"为"义"。校者未及细勘。凡兹之类，有亟当校正者，八也。九曰：体例尚有未善也。德清俞氏称孙氏此书，读"旁行之文，尽还旧观，讹夺之处，咸秩无紊"，斯固足以当之无愧色。然《经上》《经下》，考定旁行，止附篇末；篇中章句，尚仍旧观；明知其讹，沿而不改；虽矜慎重，实碍研寻。斯又亟当改正者，九也。

凡此九者，或独申己见，或博采古今；或足补阙遗，或足资参考。至诸本异同，可供慎择，今兹所撰，亦并录焉。昔孙君序其书云："此书甫成，已有旋觉其误者；则其不自觉而待补正于后人，殆必有倍蓰于是者。"然则吾今日《补正》之作，其亦孙君之志乎。

自春徂夏，已至《经篇》，英夷难作，爰归定省。家居二月，复稍增益，方待成书，忽又就道。至沪之日，阅商务书馆目录，知瑞安李笠已有《校补》之作，奇其命名之相似；复于《学衡》得读其序，乃甚伟其书，以为孙君之功臣，非夫今日之浅学者所能一二也。乃废书而叹曰：昔李翰见杜佑《通典》，叹曰"翰尝有斯志，图之不早，竟为善述者所先"，今吾于孙书，亦云然矣。遂阁笔不理者数月。已而李书竟已宣布，取而读之，则犹觉多有未称意者。李君为孙君同乡，参校之本，固甚有本原；然疏略之讥，恐亦未免。盖有本讹而不觉其讹者。如《尚贤下篇》"昔伊尹为莘氏女师仆"句，《注》引《淮南子·时则篇》云："其曲朴笞筐。"聚珍本其作具，与《淮南子》本书同。此误为"其"，宜据订正；而李书忽之。又有以不讹为讹者。如《尚贤下篇》"晞夫圣武知人"句，《注》引苏云："'晞'当从口作'唏'，'唏夫'叹词，犹呜呼也。"李云："注'唏夫'讹'唏大'，当从聚珍本正。"今考"唏"讹为"晞"，是也。若"夫"字则定木并不讹"大"，商务景印本亦仍作"夫"，字均不误。而李书竟以为误。夫以聚珍本校定本，李氏所沾沾自喜者，而漏误犹如此；至于故训之精奥，形声之展转，发冢解难，尤多未备。则吾书又不可不卒成之矣。

于是重理旧业，继续论撰，都为若干卷，布之海内，求正通人；草创既定，爰书其始末于此；并略论墨学得失之所在，以告读者，庶几舍短取长，有益于身心家国云尔。

十五年五月一日，北流陈柱柱尊父序于无锡国学馆。

版权专有　侵权必究

图书在版编目（CIP）数据

墨子研究 / 陈柱著. —北京：北京理工大学出版社，2020.5
（古典·哲学时代 / 马东峰主编）
ISBN 978-7-5682-8238-3

Ⅰ.①墨… Ⅱ.①陈… Ⅲ.①墨家　②《墨子》-研究 Ⅳ.① B224.5

中国版本图书馆 CIP 数据核字（2020）第 042320 号

出版发行 / 北京理工大学出版社有限责任公司
社　　址 / 北京市海淀区中关村南大街 5 号
邮　　编 / 100081
电　　话 /（010）68914775（总编室）
　　　　　（010）82562903（教材售后服务热线）
　　　　　（010）68948351（其他图书服务热线）
网　　址 / http://www.bitpress.com.cn
经　　销 / 全国各地新华书店
印　　刷 / 保定市中画美凯印刷有限公司
开　　本 / 787 毫米 ×1092 毫米　1/32
印　　张 / 8.25　　　　　　　　　　　　　责任编辑 / 朱　喜
版　　次 / 2020 年 5 月第 1 版　2020 年 5 月第 1 次印刷　文案编辑 / 朱　喜
字　　数 / 145 千字　　　　　　　　　　　责任校对 / 顾学云
定　　价 / 32.00 元　　　　　　　　　　　责任印制 / 王美丽

图书出现印装质量问题，请拨打售后服务热线，本社负责调换